俠女醫師的閱讀夢

吳惠晶 著

推薦序

仁心仁術書香願

花蓮慈濟醫院院長
高瑞和

讀了朱醫師的「俠女醫師的閱讀夢」後，覺得這個臺大醫科的高材生怎麼那麼傻，竟然在這3C充斥的時代，要小朋友坐下來靜靜的閱讀，這個夢似乎有點不著邊際，像個烏托邦。不過這讓我回想起一件事……

我在一九九六年負笈至英倫求學，剛到之初的所見所聞，都讓我有culture shock的感覺。其中一幕是這樣的：我從住的地方，倫敦的第五環區，搭火車進市中心到我的實驗室，月台上擠滿了通勤的人，火車一到，大家一擁而上，把整列車擠的水洩不通，我搶不到位子，心想要一路站到西敏寺站了。火車一開動，突然之間騷動停了下來，只見大家，不管坐著或是站著，從背袋、皮包、上衣口袋，甚至褲袋裏掏出書來，開始閱讀。有一位男士在車門關上前那一剎那跳上了車，車門一關，他幾乎像一條沙丁魚似的，被擠壓在門上，可是他卻若無其事的，從後褲袋裏抽出一本小書，照看不誤！

英國曾經是「日不落帝國」，它的人民是如此的熱愛閱讀，條頓民族的文明與優越感，至今猶存，不是沒有道理的。

朱醫師如此堅持，開設社區兒童圖書館，想必也有她一番的理論基礎，但是沒有滿腔的熱情是做不來的，她應該從中也得到滿滿的歡喜吧。醫生的形象多半是高傲、冷酷的，顯然她是「異類」，不過所幸這個社會有這麼多「異類」，才使它更豐富，更精采。

當我看到朱醫師如何誘導這些罕病兒與偏鄉兒愛上書本，讓他們的生命有了不一樣的面貌，直覺這不就是「仁心仁術」嗎？期待這位俠女能一直堅持下去。

推薦序

閱讀寶藏　夢想驛站

慈濟大學校長
王本榮

朱紹盈醫師囑央我爲她的新作《俠女醫師的閱讀夢》作序，讓我瞬間開啓了十八年前塵封的記憶。朱醫師是當年我在臺大醫學院時的學生，我推介她到花蓮慈院服務基於三點考量：一是當時醫療人才極端缺乏的花蓮急需兒科新血的注入，守護東部的兒童；二是李明亮校長希望我幫他尋覓小兒遺傳科的「傳人」；三是她與畢業後即將服役的李原傑醫師是人人稱羨「神鵰俠侶」的「班對」，到民風淳樸的花蓮，比較不會引起「兵變」。

而當我在花蓮火車站迎接朱醫師時，只見她頭戴洋溢藝術家氣息的扁帽，身著摩登入時的套裝，讓我有點傻眼，也不禁懷疑，在講究「醫」（衣）視同仁，衆「生」平等的慈濟，來自北部「天龍國」的小龍女，會不會有「格格」不入的「公主病」或「偉大」不掉的「大頭症」？

事實證明是杞人憂天，雖然歷經了許多淬鍊與考驗，朱醫師十八年來仍能「守之不動，億百千劫」。而李原傑醫師退伍後也「婦唱夫隨」來到慈院服務，成爲花東「靈魂之窗」的守護者。身爲小兒神經科醫師的我，常需與朱醫師併肩作戰，共同面對罕見遺傳疾病診治的困難與挫折，也瞭解病童與父母落入凡塵的煎熬身心與社會異樣眼光之難以承受之重。難得的是朱醫師雖身在染色體與 DNA 相互交纏的科學世界裡，仍能理性與感性共融，專業與人文並濟，不但努力診治「人」生的「病」，更籌組許多罕病病友會，美國的 ROR（Reach Out and Read）計劃是兒科醫師與早期教育學者共同推動，希望透過閱讀習慣的養成，逐步改變新移民與弱勢家庭的孩子，培育面對未來的能力。而英國的「圖書信託基金會」發起了 Bookstart 運動，以早期閱讀來激發孩子的智慧與創意，訓練字詞應用的能力，平衡理性與感性，建立和諧親子關係。這二個推動兒童閱讀的希望工程，挑動了朱醫師的「俠女」基因，也促使她們小小團隊，馬不停蹄，席不暇暖的走到山顚、海湄、聚落、家庭去建構書香驛站，推動與分享親子閱讀的重要性。

人類的社會行為是由基因到神經系統，以至教育、文化和社會體系所建構的價值體系交互作用，產生錯綜複雜的潛在變化。一般而言，生物性演化屬於達爾文模式（Darwinian），是緩慢而不容易立竿見影的；但文化性演化是屬於拉馬克模式（Lamarkian），是可以在短時間創化的。人類演化的方向是同宿同棲，相互依賴也相互競爭，我們的生活離不開語言與符號，也構成文化現象的深層結構。

人類也是唯一藉語言來溝通的物種。語言的基因模組（language module）建立源遠流長，可追溯至數百萬年前，但可能直至五萬年前才形成「智人」（Homo Sapiens）的一種優勢溝通模式。語言通常可以很自然的學會，孩子是會說話後才會讀和寫。閱讀模組（reading module）並未直接烙印於人類大腦，它必須「借殼上市」，利用語言的生物模組精確轉換而成。初學閱讀者，必須學會如何破解印刷文字，學會去轉換在紙上一行一行，毫無意義的符號，以便為一個只能辨識語音代碼，強大的語言機制所接受。閱讀是由解碼和理解兩大支柱所構成，是較近代的人類成就，屬於文化性演化，可以說是與世界連結最短也是最快的途徑。

法國大文豪雨果曾說：「世界上最寬廣的是海洋，比海洋更寬廣的是天空，比天空更寬廣的是人的心量。」孩子屬於未來，能經由閱讀開闊孩子的心量，才會有改變命運的機會，甚至改變世界的力量。永遠別懷疑，一小群獻身理想，逐夢踏實的公民能改變世界，對朱醫師和她的團隊是如此，對於經由閱讀走入世界，創造未來的孩童又何嘗不是如此？

推薦序

踏夢閱讀深腳印

國立東華大學自然資源與環境學系教授
花蓮縣壽豐鄉五味屋創辦人
顧瑜君

朱醫師是個最典型：不只是醫治身體也照顧心靈的醫生，溫柔堅定與智慧會集於一身，踏出診療室從最需要幫助的人生活裡，實踐了她濟世救人的夢想。

認識朱醫師的時間不算太長，初次見面一見如故，談到社區、部落的孩子們，我們就講個沒完，永遠時間不夠的相聚。

同為在社區第一線穿梭的人，我看得出來朱醫師推動偏鄉社區閱讀的不易，更知道持續的一個個部落書坊與閱讀點做下來是多麼難能可貴。那些細瑣、繁雜的事情一樣也不能少，朱醫師就這樣一步一腳印的推展下來，令人讚歎與敬佩。

書中的故事很難不讓人落淚，或許對很多人來說是從未聽聞的事情、不敢相信現代的臺灣還有人們過著這樣生活（醉酒的產婦到醫院極爲順利生產後呼呼大睡、因咳嗽嘴裡吐出蛔蟲的孩子），雖然這些「故事」對我來說都不算新鮮了，但閱讀書中朱醫師經歷過偏鄉震撼經驗，卻仍受到深刻的觸動，因爲這些病患並不是只是去「看醫生」或「給醫生看」，我看到的是：那些身體與心理都在受苦的生命與朱醫師遭逢，不管最後的結果如何，那段相遇的時光，朱醫師與他們所共同努力、改變與創造的，都是一種美好。

當我讀到書中朱醫師的探問：

「有沒有一種可能性？讓遼闊的書海發揮陪伴的角色，尤其當週遭環境都失去功能的時候，我們還能保持心靈的自我陪伴？」

這份朱醫師的心情，讓我想起這個說法：上帝因爲無法照顧每個生命，創造了母親，讓細心貼近的照顧成爲可能。我感受到朱醫師因爲心裡掛記著這些生命須要的支持與照顧無法隨時提供，因此希望書與閱讀成爲延伸的臂膀，去讓須要慰藉的心靈有所依靠。書屋猶如燈塔與避風港，給須要指引的、在黑暗中的漂泊者一個可以指引方向與停靠的安適。

閱讀此書我更瞭解在罕見疾病的工作上，已經如此繁重與忙碌的朱醫師，爲何要奮力推動閱讀，也才知道原來她曾經想不當醫生想專心推動閱讀，這份大愛與大願竟是如此堅定與強大，我想因爲朱醫師太清楚了一件事情：「醫生也不是萬能的，這世界仍然存在著許多未知，許多人們所不能明白的事」。朱醫師在接觸了偏鄉最底層與最需要幫忙的罕見疾病孩子家屬後，覺得不能就這樣，雖然醫生不是萬能、也挽救不了所有生命，但總有更有力量的方式去行醫，閱讀，成爲聽診器外，朱醫師的另一個行醫重要配備，朱醫師相信，閱讀是「無形的穩定力量，一輩子都會存在的支持印記」但最令我感佩的，是朱醫師清晰的思考，她並非浪漫的認爲閱讀可以拯救世界，因此她知道：「閱讀本身並不能阻止一切天災人禍，或立刻改變環境帶來的困頓，卻能改變一顆心靈面對人生的態度，尤其是選擇的能力，只有先明白了自身的價值，才會做出最適合自己的選擇。」

做爲醫師，面對生死有著寧靜的態度，描述病痛中受苦的心靈：

但是疾病的國度，時間常常凝固
聞不到花香，更沒有任何的想像
空間一片寂默，身體裡充滿戰爭
淚流和許多苦楚，常常悄悄邁向死亡

在凝固的時間裡、身體內的戰爭看似沒有止歇的盡頭，就算看到盡頭，等待在彼端的卻是淚水與苦楚，誠如書中所說的，推動醫療與閱讀的過程中「挫折就如雪花重重復重重」靠著默默支持的人們不斷的送上勇氣，融化挫折的冷意，因著朱醫師的夢想，讓很多人有了參與偏鄉的醫療與閱讀，醫學系的學生們在養成教育的過程中，深入部落與孩子們的生活，眞實學習，志同道合的人有了平台，成爲重要的護法，加上全家人無條件支持，去實踐俠女醫師不變的夢想：「在東部的土地，用深深的腳印推動兒童閱讀」。

在書的的末尾章節，這樣說著：有許多要努力，朱紹盈只想說：花蓮，我的靈魂一直都在！朱醫師謙遜的說自己的「心願不大」，就只期待書，能進入每個人的生活圈裡頭……就像是一朵朵的蒲公英傘，被風吹過，又分成了許許多多帶著種子的小白傘，降落在每一塊土地上，讓閱讀的種子被愛的心風吹拂，在每一個有孩子的地方，發芽、茁壯。

看完書，閉上眼睛想像著朱醫師部落的閱讀夢將繼續下去，那個給人們帶來幸福溫暖的畫面：

等一個聽故事的人，走一條愛的足跡！

推薦序

從R到L，兒科醫師的新任務

羅東博愛醫院兒科及
新生兒科加護病房主任
吳淑娟

六月份科學人雜誌的「科學人觀點」專欄，曾志朗教授講了一個故事，一位臺灣四十歲的科技人到非洲旅遊一個月，請了一位非洲導遊，同樣四十歲。臺灣科技人於行程結束後，發願希望將來有能力來協助非洲原始部落的進步，建構醫療、交通和教育網絡。非洲導遊也發願，將來要協助這位臺灣科技人。

曾教授說，同樣是四十歲，臺灣科技人大有機會實現夢想，因爲他還有近四十年的壽命，可是非洲導遊實現夢想的機會很渺茫，因爲非洲的平均壽命不到四十五歲！

曾教授解讀說：這地球上人類的生命，一點都不公平。我們都知道，唯一的解救之道就是由R到L，也就是培養閱讀能力（Reading）以增進知識素養（Literacy），才能改善醫療交通的設備和技術。

曾教授又說，他在美國參與一位非洲博士生的論文口試。這位女博士生的研究主題是在肯亞地區以數位科技來協助當地小學生的閱讀能力。會後有一位同樣是非洲來的女大學生站起來說，因爲這位女博士生的奮鬥，也激勵她飛到異鄉求學，將來她學成歸國後，也要讓更多的孩子享受閱讀！

而這位女大學生更感謝曾教授，她說：「曾教授的由R到L的提示，要我們從閱讀深化素養，更要由閱讀者（Reader）成爲引領者（Leader）的鼓舞之詞，讓我深受感動。我眞的相信，由閱讀到素養，我的國家會變得更好！」

曾教授的這篇專欄，激起我心裡許多感慨。二〇〇四年我到羅東當兒科醫師，看到許多和我家孩子同年齡的孩子，但他們的家長幾乎不知道原來小小孩也可以開始共讀，可是同樣的時間，臺北的家長已經在付費帶孩子去故事屋聽故事；後來我開始參加醫院的山地巡迴醫療，跟著醫療車到山地鄉的村落去，那時醫院向山裡小學借教室充當臨時的診間。教室裡擺了不到十張課桌椅，角落有一小櫃子的繪本，但幾個月裡每次去那間教室，發現那些繪本似乎都沒甚麼更動。

有一次剛好遇到校長在學校，我過去請問校長孩子們閱讀的情況如何？我心想，一個班級孩子不到十個，老師應該有比較多的時間帶孩子們閱讀吧？

但校長說：「這裡的孩子程度不好，回家後又沒有人管，老師要花很多時間先讓孩子寫完功課再回家，所以也不一定有很多時間帶學生閱讀。」

我問校長，是否需要有故事志工到學校來帶孩子們閱讀，校長說：「也可以啦，不過我們比較需要課輔老師。」

當年，雖然想促成到山地鄉推動閱讀，但終究沒有這麼多的能力和支援。後來我看到美國一群兒科醫師藉由兒科常規的健兒門診，在門診舉辦講故事活動，由兒科醫師親自向家長衛教閱讀對孩童長期的影響，並贈送家長和孩子們適齡童書。這樣的計畫案長期追蹤後，發現對孩童就學後的學習效益卓越，特別是對閱讀或知識素養資源比較不足的家庭，效益更好。美國兒科醫師還認為，許多兒科醫師的孩子從小就擁有許多童書，以及和兒科醫師爸爸或媽媽共讀的機會，兒科醫師應該是最知道閱讀對孩子有許多好處的人，可是怎麼兒科醫師卻忘了將這麼好的事情教給家長呢？是啊，於是親子共讀也成為這幾年我在門診，還有不同的衛教場合中，一定要介紹給家長們的育兒觀念！

雖然同為兒科醫師，然而和紹盈醫師相識，卻是因為推廣兒童閱讀之故。但直到看到紹盈醫師的這本小書，才知道溫婉纖細的紹盈醫師，竟然為了許多孩子可以產生出這麼大的能量。我也更了解到，兒科醫師的任務，是Leader，除了引領家長照顧好孩子的健康之外，更可以引領家長以及孩子，透過閱讀讓孩子領受到知識的力量，讓家長和孩子為自己打開一條邁向廣闊生命之路。

紹盈醫師，我們一起加油！也希望有更多兒科醫師加入由「R到L」的行列！

推薦序

在閱讀陪伴中，建立關係，守護孩童

臺灣兒童閱讀學會顧問
東華大學教授
林偉信

幾年前，我初認識朱紹盈醫師，知道她的專業是小兒科醫師，閒暇興趣則是對孩童說故事與推廣兒童閱讀。認識越多，才更瞭解朱醫師在醫療本份外，之所以特別專注於兒童閱讀的推廣，竟是想要透過「閱讀陪伴」緊密聯繫她和病童間的關係，讓他們知道「不是離開診間就沒有關係了」。

我年輕時，修讀「倫理學」的課程，談到醫病關係，總是強調醫者與病患之間本是人與人透過醫療的陪伴，藉由科技醫治痼疾，緩解病痛，同時也冀望能在醫者的關懷中，療癒病患心性、安撫靈魂。然而資本主義下的醫療制度，在追求最快速的療效，以及最大量的利潤中，讓醫病關係變得疏離，變陌生了。

爲了重尋理想的醫病關係，朱醫師從一種非醫療方式——「閱讀陪伴」著手，以書做爲中介，來和孩童建立關係。這本書正是朱醫師「閱讀陪伴」

理念與實踐的深情紀錄，從門診診間的閱讀推廣開始，逐步擴展到海厝假日學校、偏鄉的便利商店，最後還落腳水源村成立了為兒童誦讀的巴奇克聚落書坊，藉由各種不同形式的閱讀陪伴，朱醫師深入病童和偏鄉兒童的生活與世界，在科學醫療與人文關懷的匯集中，延伸了醫病間的親密關係。

有意思的是，朱醫師「閱讀陪伴」的理念，完全吻合當代閱讀理論對兒童閱讀的理解。兒童閱讀不應只是兒童和書的單線關係，讓兒童獨自一個人去面對書。它更應該是大人以書做為中介，陪伴兒童經由閱讀、討論，和兒童建立起關係的過程。也因此，兒童閱讀除了閱讀的學習外，更重要的是在陪伴中，和兒童建立起情誼聯繫的管道，而當這關係一建立，它將更有助於孩童心智的學習與啓蒙。

經書有云：「千年暗室，一燈即亮。」閱讀朱醫師的生命故事，讓我們看到一個醫療專業者用心經營的跨界實踐。透過這實踐，朱醫師不但延伸了醫病關係，眞情守護著她的病童以及她所關注的偏鄉孩童，同時，我相信，這種以愛爲本的閱讀陪伴，也終將逐一點亮她所陪伴兒童的心智與靈魂。

推薦序

傳「罕見」女俠，「閱」大愛

小兒心臟專科醫師
前門諾小兒科主任
新象社區交流協會創會理事長
陳麗雲

我和朱紹盈雖然同為小兒科醫師，不過，因為所學有異，她主修遺傳罕見疾病，而我專攻小兒先天心臟病，平日難得有機會深談，這幾年和朱醫師進一步結緣熟識，是因為閱讀。

兩年多前，朱醫師為了花蓮閱讀地圖，帶著助理和師父來到新象繪本館，聊起推動閱讀，我們倆一見如故。朱醫師是那種談到閱讀和繪本，眼睛就會發亮的人，後來才知道，她也和我一樣有著蓋繪本館的痴人大夢！

朱醫師來自緬甸，那是個遙遠而陌生的國度，因為政治封閉，除了水患、抗爭和翁山蘇姬，人們常常忘記它的存在。和翁山蘇姬一樣，流著相同血緣的朱紹盈醫師，也是個不折不扣的俠女，同樣有著睿智和美麗的容貌，以及一雙堅毅而執著的雙眼，她們的共同點，就是會為著愛與理想堅持到底。

朱醫師在臺大醫科畢業之後，受到恩師王本榮教授的感召，選擇來到花蓮慈濟醫院服務，並師承遺傳學大師李明亮教授，後來，李教授離開花蓮接掌衛生署，朱醫師接下李教授的衣缽，成爲東部唯一的小兒遺傳疾病專科醫師，繼續照顧後山爲數不少的罕見疾病患者。看到這些罕見疾病的孩子和傷心無助的家屬，俠女醫師朱紹盈可以說是完全兩肋插刀照顧到底，從醫療上的診斷照護、到搭建病家的支持系統、以及病童的學習教育就學就業，宛若聞聲救苦的人間菩薩！

四年多前，朱醫師開始關懷並投入花蓮的閱讀領域，也帶領慈濟大學醫學生從事弱勢兒童教育工作，秉持著同樣的衝勁和魄力，她把閱讀工作做得既深且廣，從「閱讀尋寶圖」、「故事達人工作坊」、「聚落書坊」、「海厝假日學校」、響應Bookstart運動的「圖書禮袋」、以及最近在花蓮興起的「小小閱讀站」……。此外，爲了整合大家的經驗，做爲後續推動閱讀教育的動力，朱醫師不辭辛苦，一站又一站，拜訪著花蓮境內許多從事閱讀的前行著，再訂定未來策略，在閱讀資源相對不足的花蓮偏鄉，朱醫師的熱情投入，帶來了一股令人振奮的強大力量。

我常在想，朱醫師這樣的熱力和關懷大愛到底從何而來？是什麼力量支持者忙碌不堪的朱醫師投身閱讀志業？在和朱醫師幾度深談之後，更加深切的印證了這個「生命影響生命，愛傳遞愛」的生生不息的力量。

在我的瞭解中，朱醫師從小生長於緬甸近雲南的山區，因著大自然的更迭幻化，以及緬甸老家的泥土芬芳，給了她探索藝術的本能和自在的生命態度；在資源不足的時空中，朱家的家庭教育相當重視閱讀，她的超級媽媽還曾自創認字書卡教孩子認字，用盡心思給了朱醫師生命中最重要的禮物——「閱讀」；慘綠的青春成長階段，飄洋過海到臺灣就學，曾經一度適應不良，也因著三位生命中的恩師給了她足夠的愛和鼓勵，安然渡過……。如今，朱醫師也用同樣足夠的愛和生命態度教養著自己的和偏鄉的小孩，並以身作則，影響著慈濟醫學院許許多多未來醫師，成為醫學人文教育的最佳典範！

朱紹盈醫師的專長是診療「罕見疾病」，但在現實生活中，她卻是醫界「罕見」的女俠，希望藉著這本書的流通與傳頌，讓更多人起而效之，期待未來女俠在醫界和我們的社會不要太罕見，多出幾個朱紹盈，繼續傳承醫療和閱讀的大愛！

推薦序

從《朗讀手冊》走出來的小兒科醫師

新象繪本館館長
許慧貞

金・崔利思（Jim Trelease）著作的《朗讀手冊》是我行走在閱讀推廣路上奉爲經典的一部作品，在其中有一個由小兒科醫師所發起的「展懷閱讀計畫」（Reach Out and Read），引起我極大的興趣。那是由一九八〇年代任職於波士頓市立醫院（Boston）的兩位小兒科醫師羅伯特・尼德曼（Robert Needlman）與巴里・祖克曼（Barry Zuckerman）所發起的，起因於兩位醫師討論著爲什麼候診室的童書總是不翼而飛，很明顯地是被某些病人帶走了，面對這樣的結論，祖克曼卻很溫暖地以爲「也許這才是那些書的最佳去處——在孩子的家裡」。

於是，他們積極地將閱讀規劃於醫生工作中，包括：

在每次兒童健檢的時後，小兒科醫師鼓勵瀕危家庭的父母朗讀書本給孩子聽。

小兒科醫生送給每位小孩（六個月到五歲大）一本適合他們的書。朗讀義工在候診室唸書給孩子聽，並向父母說明其重要性。

在看到這個「展懷閱讀計畫」時，心裡頗有股恍然大悟的覺醒，想著自己從事兒童閱讀推廣活動這麼多年，怎麼就是沒想到要將小兒科醫生納入閱讀推廣的夥伴名單呢？記得剛當媽媽時，最期待的就是每次寶寶健檢或打預防針時，與小兒科醫生晤談的機會，只要醫生有所指示，我必當奉若聖旨，絲毫不敢有所差池。如同崔利思所說的，如果小兒科醫師能夠把父母應該為他們的寶寶朗讀書本，也包括在醫囑中要求家長們配合，這將對提升國家的文化智識水準，產生多麼深遠的影響呀！我心底默默期待著，希望我們國家的醫院也能夠出現這樣的小兒科醫師。

很開心的，花蓮慈濟醫院就出現了這麼一位從《朗讀手冊》中走出來的小兒科醫生——朱紹盈。朱醫師將兒科診間的候診區間布置成閱讀角落，並與童書出版業者、市立圖書館有效連結，為孩子張羅了滿書架琳瑯滿目的繪本，其間，還安排了說故事志工，為孩子朗讀故事。就這樣，一個原本蒼白緊張的候診空間，在朱醫師的巧思之下，有了不一樣的溫馨風貌。

除了診治孩子身體的病痛外，朱醫師也積極地用閱讀灌溉孩子的心靈，甚至將閱讀資源隨著病童送到偏鄉部落，不計成本，使命必達。朱醫師對於村落閱讀環境的經營打造，總是抱持著樂觀但也豁達的態度，她雖然努力奉獻，但卻也隨緣，從不曾因為結果不若預期，而退卻縮手。她樂於播灑閱讀的種子，並篤信種子終有發芽之時。

在朱醫師身上，我看到一位醫者的仁美之心，很榮幸能結識這位從《朗讀手冊》中走出來的小兒科醫生，並參與她的希望工程，她肯定是名符其實的「閱讀史懷哲」。

目錄

推薦序 仁心仁術書香願 高瑞和 002
推薦序 閱讀寶藏 夢想驛站 王本榮 004
推薦序 踏夢閱讀深腳印 顧怡君 008
推薦序 從R到L，兒科醫師的新任務 吳淑娟 014
推薦序 在閱讀陪伴中，建立關係，守護孩童 林偉信 018
推薦序 「罕見」女俠，傳「閱」大愛 陳麗雲 020
推薦序 從《朗讀手冊》走出來的小兒科醫師 許慧真 024

楔子 030

第一章 尋找一種可能性 038

第二章 在罕疾的國度，圈住希望 054

第三章 門診外，開啓閱讀夢 084
第四章 閱讀藏寶圖 102
第五章 巴奇克聚落書坊 124
第六章 海厝的那群孩子 162
第七章 最美麗的約會 194
第八章 何處春江無月明 210
第九章 花蓮，我的靈魂一直都在 222
後記 煉出彩虹的夢 244

楔子

藍藍海邊的另一頭是什麼呢？
那是另一個宇宙嗎？
和我有關係嗎？
看起來有山，又好像沒有山
是雲彩還是煙雲呢？
海水會有枯乾的一天嗎？
延伸出去的地平線到底有多長呢？
有巨人建築師測量得出來嗎？
海鷗要飛多久才有地方停下來呢？

好像有一艘船經過了呢～
看看腳下的鵝卵石
我們總是會找到一顆帶著水光的黑色石頭
啊～
大家都回來吧！
一起朝向天空問一問
風兒呀，你編得出一首有關月牙灣的歌嗎？

朱紹盈／月牙灣

又將誕生一個小小閱讀站了，即使聽說颱風要來，但在依然風平浪靜的天空下，朱紹盈還是依約前往花蓮社區去認識兩位小小志工，她們是這新閱讀站將來的站長呢！

高一的小如和國一的小惠，有些害羞、有些期待地睜著亮亮的眼睛，和大家一起討論。

「妳們有想要將閱讀站布置成什麼模樣嗎？」朱紹盈微笑的問。

她們搖搖頭，互看一眼，完全沒有概念。

「我們之前布置時，因爲閱讀對象的年齡層比較小，就會選藍色或橘色的，色彩比較亮的書架，擺放的時候有點層次感，還可以加一些小盆栽……。」

小如有點期待的問：「會有玩具嗎？」

朱紹盈立刻回答：「沒有。」

大家笑了起來，朱紹盈耐心的引導：「妳很棒啊，有這個想法也很好，除了圖書，也可以用其中一個書架來做小小玩具圖書館。如果我們有十個空間，其中兩個放玩具，八個放圖書，也是可以的喔，妳們覺得可以放多少書呢？」

「一個空間應該可以放二十本吧！」

「好啊，我們試試看，待會兒去選書，一個人選五本，自己都要讀完，再推薦給同學或朋友。」

「啊——」她們哀叫了幾聲。「萬一他們不喜歡我選的書，不想看呢？」

「妳可以問朋友們喜歡看哪一類的書啊！」

「喔！」

「等閱讀站做好了，就可以跟同學們宣導，有人來看書、借書，這些書才會活絡起來，妳們能獨立完成這件事，是很勇敢的喔！」

只要有人願意閱讀，朱紹盈開心的程度就像滿天星斗中再劃出一條更寬廣閃亮亮的銀河，更何況是孩子們自主的來承擔當站長，她溫柔的說：「在硬體的部份，我都會盡量協助，可是推廣和負責的人力需要妳們來支援，因爲我們人手眞的不夠，這一切都是爲了社區，讓大家很容易找到書，隨時都有書可以看，因爲閱讀是很棒的事。」

她們點點頭，表情是明白的，眼神卻是迷惑的，開始蹦出許多疑問：

「放在外面萬一下雨呢？」

「如果書被偷了呢？」

「沒有人來看怎麼辦？」

……不論任何問題，朱紹盈都一一的解說清楚，讓她們安心。

「這樣都有概念了喔！好，那我們第一站去哪裡？」

「先去買書櫃。」她們開心的大聲回答。

即使是在大賣場裡挑選，朱紹盈依然耐著性子引導她們的想法，要挑幾層的書櫃比較適合？什麼顏色可以互相襯托？擺放多少書最恰當？孩子們高高興興的帶著選好的書櫃去結帳，我看見那青春稚嫩的臉龐閃出微光，一種喜悅，一種自信，如此美麗。

下一站應是到書局讓她們挑選喜愛的書，做爲閱讀站的開場，天氣卻瞬間變化萬千，麥德姆颱風的威力正在加強，風以傾斜的姿態襲來，眼見滂沱大雨已濺溼衆人的衣衫，安全起見，我們只能順服大自然的力量，先打道回府。

在推廣兒童閱讀的道路上，開展新的閱讀站當然讓人開心，這次特別的是，小小站長小如是朱紹盈的病患，長達七、八年的時間，大部份都在診間相見，只因小如從小學三年級就被診斷出糖尿病，早期必須經常到醫院報到，陪伴之路悠長，等於是看著這孩子長大。

「這個暑假，因爲她的血糖控制得不好，我不開連續處方箋，強制她每個月都要回診一次，這樣我才能放心，另外還送兩本書，鼓勵她在暑假讀完，所以她們社區要設立閱讀站，剛好她有意願來承擔，眞是太好了。」

談到小如，朱紹盈心裡有許多感嘆，如果被診斷爲第一型糖尿病，這胰島素就要打一輩子。一天打四針，加上三餐和飯後檢驗血糖，等於一天要挨十幾針，對一個孩子來說不但不輕鬆，而且很艱難。儘管在看診時再三叮嚀，但血糖仍然控制得不好，主要因素是父母不在身旁，隔代教養之下，阿嬤也力不從心，常常是藥物用完了也無人發現。

因此，朱紹盈總會特別關心小如，經常贈送筆記本，讓她能寫上求診的問題，或者平時的狀況，在她讀小學時，老師也會在筆記本上寫下建議，通過互動一起關注疾病的進展。只是，使用了很多策略仍然不太容易控制血糖狀況，朱紹盈嘆口氣，認爲家人的陪伴和照顧還是最重要的，畢竟學校和門診時間很有限。

「生病之後，她本身也會擔心同學及朋友知道，如果家庭環境又不是那麼好，自己該怎麼辦呢？所以我鼓助她多閱讀，從書中找到力量，這是我最期待的，因爲最終，我們都要學會自己照顧自己。」

這也就是爲什麼小如願意參與社區閱讀站，會讓朱紹盈這麼開心了，她認爲疾病大部份都能照顧得來，可是她更希望能夠有所幫助的，是心靈層次，正是如此，在門診之外，她走向了推廣兒童閱讀的道路。
朱紹盈，何許人也？
喜愛閱讀（想蓋一座國家級兒童圖書館）。
喜愛園藝（有一個菜園和香草植物園地）。
喜愛寫寫又塗塗（鍾情寫詩文、愛攝影、喜畫畫）。
更喜歡孩子（想做孩子的代言人）。
兩個孩子的媽媽。
花蓮慈濟醫院小兒科醫師。
教學部師資培育中心主持人。
出生在緬甸，來到臺灣求學，選擇落腳花蓮行醫，一做就是十八載。
由於主攻罕見疾病及遺傳疾病，別人所見都是正常的寶貝，她經常需面對一個個帶著缺陷，讓人心疼的小天使。
她還有個閱讀夢，希望每個小孩都能隨時拿到書、看到書，所以經常自己出錢出力出時間，做得開開心心、認認眞眞，問她爲什麼？她說……

尋找一種可能性

第一次和人間的相遇
是媽媽心碎的聲音
在前面最荒涼的道路
我開始孤獨的命運和費力的任務
細細嚼著歲月帶來的悲傷
吐不出可以傳頌的圓滿
每一分又每一秒
追不上歲月要求的里程碑
跨不出命運畫好的框框
我情願
把整個人生的美麗送給你
請交換
讓我聽得到海洋的呼喚⋯⋯

朱紹盈／失落的孩子們

若是小茵愛閱讀

她是小茵，一出生就被診斷出先天性代謝異常，需要終生服用腎上腺皮質素，雖然父母最初也曾細心照顧，但後來因故離婚，她的生命裡從此沒有媽媽，卻又經常被爸爸當成出氣筒而暴力相向，相關政府機構多次介入協助，因此也曾多次被寄養，她備感孤單和害怕。就讀國中的某一天放學途中，又慘遭性侵害，悲涼的命運，讓這顆小心靈始終鬱鬱寡歡。

九歲時曾因沒有按時服藥，造成癱瘓與抽筋，被送到花蓮慈濟醫院搶救，這是朱紹盈第一次認識小茵，從此一路陪伴到十八歲，對小茵的背景心疼不已。

或許是種種遭遇影響，小茵的人際關係很有問題，行為偏差、自殘多次，嚴重到連學校也希望她乾脆回家，老師的高血壓因她而起，終日戰戰兢兢，同學們也覺得她是個大麻煩。

朱紹盈強調，患者有些行為背後的心理因素是可以理解的，就是陪伴著就好，但外界不容易明白，只要看到一些叛逆行爲就會產生先入爲主的判斷，反而間接再次造成孩子的傷害。

「我們還親自到學校，去跟老師分享照顧她的策略和整個心路歷程，當時也認爲，已經跟學校達成共識，可以集合衆人的力量一起來幫助她。」

不過，除了學校整日感到提心吊膽，也因爲她一旦遇到不能解決的問題，就會用不吃藥來抗拒，想要以此獲取大家對她的關心，甚至多次送到醫院急救過。

「唉，苦口婆心勸過不知多少次，按時吃藥對她很重要，否則容易造成心律不整而昏倒，甚至危及生命，但她還是會常常有逃避的心態，幫她心理諮商多次也沒有太大效果，情況時好時壞，後來又知道她打工的錢都被酗酒的父親剝削，家庭狀況是讓她會想要自暴自棄的最大因素。」對於這一切的無奈，朱紹盈感到很擔心。

後來，小茵還是因故休學回家了。

對醫療團隊而言，他們陪伴了這麼久，整個社會系統卻難以承擔這樣的孩子，是否公權力沒有發揮？爲什麼衆人無法接受她？上學讀書對這孩子是很有助益的啊……朱紹盈想來不免有許多遺憾。

「她會把我們當大姊姊看，不想只是維持醫療的關係，想要很貼近，希望被關心，很多事都願意告訴你，就像親人一樣。」遺傳諮詢師翁純瑩想起這孩子，還是覺得心疼。

有一次，翁純瑩半夜接到她打來的電話，正擔心這麼晚了是否發生什麼事？

小茵卻淡淡的說：「也沒什麼事，只是想知道有誰會接我的電話？」當下，那種掩蓋不了的極大孤單，在黑夜裡漫漫如網，困住一個小女孩的生命，讓人一想起就會心痛。

「還記得當她十八歲的生日快到了，大家在討論著要送她什麼樣的生日禮物！」

可是小茵遲遲未出現，朱紹盈打電話聯絡她回診，始終找不到人，心頭很不安，鍥而不捨輾轉問到其他親戚，才知道，她已經往生。

那一年，小茵十八歲，躺在床上，也許是忘了吃藥，也許是故意不吃藥，沒有人發現也沒有人叮嚀更無人陪伴，就這樣靜靜的、孤獨的離開人間，永遠沉寂在暗黑的夜裡。

「十年來的陪伴，我們認為已經將所有的力量與資源都加進去了，最後這樣的結果，讓人很傷心很難過也很惋惜。我其實是有些憤怒的，對種種社會制度感到很挫折，對小茵的處境很無力……」朱紹盈有些沉重的搖搖頭：「放棄，不應該是大家都去選擇的路。」

如山似海的遼闊

有沒有一種可能性？

讓遼闊的書海發揮陪伴的角色，尤其當週遭環境都失去功能的時候，我們還能保持心靈的自我陪伴？

那一年，小茵的生命停止在十八歲，如果她有機會愛上閱讀，由許許多多的好故事引導她看見不同的世界，豐富思考、滋潤心靈、自主學習、自己拉拔自己，那麼，有沒有可能結局會不同？環境無法改變，我們如何知道，我們其實可以自己幫助自己？

朱紹盈推動兒童閱讀三年多來，對閱讀的功能始終有某種冀望，在她接觸的病患裡，不只是小茵，還有許多不由自主身在困頓環境中的孩子。她淡淡的說：

「例如大人一大清早醉倒在路邊，孩子整日沒飯吃；例如小朋友的糖尿病無法有效控制，因為家裡可以連續烤肉三天，一群人輪番吃吃喝喝來了又走，小孩有樣學樣，結果反覆酮酸中毒住進加護病房；例如二十歲的小媽媽要照顧四個小孩，一個小孩生病了，床上卻躺了好幾個，讓人不知哪一個才是小病人……。」

或許我們無力改變這個世界，也無法改變悲情的角落或自身的環境；或者我們可以問，大人無法做好的榜樣，小朋友的未來會在哪裡？

不過，朱紹盈認為，我們終究走不到每一個角落裡，去改變每一個環境，然而，我們可以創造機會，讓機會去遇見可能性。

「培養閱讀的好習慣，就是很値得期待的可能性。」她很肯定的說。

被稱爲兒童文學之父的英國出版商約翰．紐伯瑞，認爲閱讀習慣必須從小養成，並且出版了世界第一本兒童小說《美麗的小書》（A Little Pretty Pocket-Book），這本不同於童話故事的小書，只有少量的文字，卻有大量插圖，除了趣味與遊戲性，也默默蘊含了正確的道德觀在裡面。美國的紐伯瑞獎就是爲了紀念他而舉辦，期望透過閱讀，「給孩子改變世界的力量」、因爲「沒有人能決定我們能成爲什麼？除了我們自己」。

「出生在什麼樣的環境裡既然無法選擇，」朱紹盈默默的想：「至少，透過閱讀，希望能讓孩子們知道，這是與世界聯結最短的途徑，一旦閱讀行爲養成後就能產生自主學習的能力，只要願意突破現況，未來是可以自己選擇與掌控的。」

書的廣闊性，可以似海一樣深；書的安定性，可以如山一樣堅，即使懷抱著夢想，也能走出屬於自己的路，那是用心靈去培養的能量；原有的環境無法改變，那麼，就用心靈去改變未來的路，創造自己的人生。

灰姑娘啓示錄

「我眞的很喜歡這個故事。」心慧講了兩次。

設立閱讀站時，其中一站是新城鄉的便利商店，就讀國三的心慧喜歡和同學到便利商店相聚，可以坐下來吃飯、聊天，特別的是這裡有小小書櫃，可以免費看書，店長店員都和氣可親，她可以安心的、自由的坐很久也沒關係。

喜歡看書的她，印象最深刻的是童話故事「灰姑娘」，讀了好多次，還是很喜歡。

當心慧帶著害羞的微笑這麼說時，衆人以爲，她應該是愛上了「很久很久以前，有個灰姑娘……從此以後和王子過著幸福快樂的日子」，這樣的美好結局，在青春的年紀憧憬浪漫是必然的。但是心慧說，她一直記得的是，灰姑娘雖然被後母及兩個姊姊欺負，卻在被王子拯救之後，還能原諒對方。

「即使在那樣的情況下，還是會想要原諒別人，我喜歡灰姑娘，因爲她有一顆善良的心。我也希望自己能和她一樣……」心慧稚嫩的眼光忽然閃了閃。「雖然有些人眞的很可恨，不過，我還是會試著去原諒對方。」

不可否認的，這個答案讓大家有一些些震驚，以及更大的歡喜。

閱讀的影響力，會在每個人心中因視野或角度的不同，造成深深淺淺的衝擊，一想到這個童話故事對心慧造成的衝擊是「善良和原諒」時，朱紹盈的心頓時感到無限溫暖。當父母或家庭陪伴及教育的功能不足時，至少還有書，還有許許多多的故事在我們身邊，引導我們走向未可知的將來。讀了好的書，受了好的啓示，心靈成長的力量將不可限量。

「即使是一個孩子也很重要，」朱紹盈強調「一」的獨特：「一個好的想法一旦被接收，一點小改變也可能延伸很大，而每一個小小的敲擊都應該被重視、看見。」

美國的 ROR（Reach Out and Read）計劃，是兒科醫師與從事早期教育的學者們共同成立的公益組織，目的是要透過第一線醫師在門診評估時，向家長推廣親子共讀的觀念。另外，這個計劃也期望透過閱讀的經驗，逐步改變美國許多新移民以及處境較困頓的弱勢家庭之下的孩子，有面對未來的能力。

「許多家庭與孩子被放逐，他們找不到核心價值，一直在漂浮著！這搖撼不動的狀態，不知還要凝固到什麼時候？」這是朱紹盈從醫十多年的感嘆。「許多研究都證實，親子閱讀可以改善孩子的學習率，並降低輟學率，甚至有機會翻轉命運，**ROR** 的經驗是否可以被移植呢？我想在花蓮試試看。」

身為小兒科醫師，正是和家長及幼兒接觸的第一線醫師，朱紹盈從自己開始做起，送書、推廣、分享、設立閱讀點……從試試看到認真投入，一路堅持三年多，每每想起像小茵這樣身心都受苦的孩子，她就更想要加倍努力；若是遇到像心慧這樣受書啓發而有了更深刻體悟的孩子，她就感到無比珍貴而充滿安慰。

的確，才讀國三的心慧因為灰姑娘童話故事，而說出「即使在那樣的情況下，還是會想要原諒別人……」這樣的啓示多麼珍貴。哪一天，哪個孩子，讀了哪一本書，受了哪種啓發，無法預知，因而我們要創造更多的機會，尤其在東部，爲偏遠地區的、環境惡劣的，甚至是孤獨茫然的孩子們，尋找更多可能性。

閱讀的正向力量

有一天，演講結束回到家的朱紹盈說自己的心情非常不美麗，甚至憂傷，當她到各處去分享罕病兒生命故事時，其中有位老師私下無奈的跟她說：「我們剛解決一波小媽媽懷孕的問題啊，唉……。」

一到寒暑假，就必須擔心學生因爲不懂得保護自己而造成的種種傷害，儘管老師們不斷的耳提面命，再三叮嚀，但是每學期仍要協助處理人工流產這令人難過的窘境。

「就像一群被放逐著的綿羊，難道人生一開始的路就是分岔的那一條？」不只是門診裡罕病兒的處境，朱紹盈關心的範圍在每一個接觸到的方向。「能否有一個最簡單的方案來解決所有的問題？教他們如何保護自己如果成效不大，那麼，如何讓他們明白自身的價值，然後，做出選擇，而不是隨波逐流？」

朱紹盈依然把希望寄託在更多更廣的閱讀，她認爲唯有讓孩子們自己願意，並一再的從書中感受不同的人生和經驗，或許，結果就會不同。

關於閱讀好處的許多研究，包括：改善弱勢孩子進入惡性循環的宿命，提升心靈的正面能量……等等，而投入推動東區兒童閱讀的志工們，也有自己更切身的經驗來證明：

研究兒童教育的鄭雅蓉說：「以前的年代，還是會覺得女生不必讀太多書，但媽媽卻告訴我，父母無法留給妳多少財產，妳讀多少就是妳一輩子的財產，媽媽希望我要盡力讀書。」

志工媽媽張文媛好羨慕：「我是從小就非常喜歡看故事書，連走路都在看，後來媽媽生氣了，把書撕破，我還哭著說：『這是我跟同學借的，妳要賠給我……。』為了找閱讀的機會，我甚至每天提早去上學，先到某個同學家，站在門口把當天的《國語日報》先看完，再把報紙折好放回去，才滿足的去學校。」

遺傳諮詢師翁純瑩笑嘻嘻的說：「小時候家裡開皮鞋店，父母都很忙，根本沒空理我們四個小孩，我是自己從小就愛看書，一來沉浸書中自得其樂，二來如果有客人就會讚美說，在看書喔，好乖的小孩。」

不論父母是否陪伴，家庭環境如何，他們都同樣因為閱讀而影響了人生的方向。

「我小時候不愛讀書，但國小時媽媽就強迫每個月都要讀一本偉人傳記，看完還要報告摘要，媽媽再來分享自己的想法，這就養成了我讀傳記的習慣。」就讀醫學系七年級的蔡斗元有感而發：「閱讀是很奇妙的，小時候雖然不喜歡，但已經養成了閱讀的習慣，長大後讀到宋睿祥醫師寫無國界醫師的書，很受感動，才來讀醫學系，希望也能當名好醫生。」

鄭雅蓉印象最深的是美人魚童話故事。「一個人很癡心地為了自己喜歡的人奮不顧身，即使面臨生死交關，還是堅定自己的選擇，願意成全對方。這一點感動到我，也許美人魚的故事是因爲這樣刻骨的愛情而傳遍世界，但深深印在我心裡的是，如果是對的事情，不是害人的事，就應堅定心志的去做而不後悔。」

翁純瑩很慶幸自己從小愛讀書：「有一套中國童話故事影響我很深，可以說所有的忠孝節義，做人處事的道理，都是我從書中讀來的，因爲父母忙碌於工作，是根本沒有空教我們這些的。」

張文媛很肯定多多閱讀帶來的好處：「雖然父母沒有教，但很多書都會講到善良、仁慈、布施等等是很重要的美德，這讓我很自然的會想要幫助別人，小時候如果有存到幾塊錢，我就會特地留著，經過地下道時，就投到乞丐的碗裡，也沒有大人教我這麼做，是自己認爲應該要這樣。」

就是這些可能性，讓朱紹盈把握每一個機會，例如常在門診裡送書，或者和家長分享閱讀理念，因爲她自己也永遠記得小時候讀過的所有行俠仗義的故事，因而深深植下的信念：幫助別人是理所當然的事，心懷良善是做人的基本原則。

也許，閱讀本身並不能阻止一切天災人禍，或立刻改變環境帶來的困頓，卻能改變一顆心靈面對人生的態度，尤其是「選擇的能力」，只有先明白了自身的價值，才會做出最適合自己的選擇。

「生存方向是可以選擇的，不能被環境放逐，要知道自己的存在與意義。」朱紹盈充滿希望：「廣泛的閱讀能夠帶來刺激思考的機會，終有一天，孩子們一定能找到屬於自己的位置。」

孩子們是屬於未來的，長大後，能否先有了改變自己未來的能量，接著，將有了改變世界的力量？如果有可能，那麼，我們要爭取機會，創造更多的可能性，任何人都不可能代替他們成長，因爲眞正厚實的力量，在孩子們自己的身上。

「推廣兒童閱讀，是我選擇的方式，是我在尋找的可能性。」

就爲了這樣的可能性，朱紹盈一次又一次走出去面對大衆，走入山裡的部落，來到海邊的學校，巡著社區裡一角，聞著孩子們特有的期待，於是那一本本書跳起了舞，從每一個大屋子裡旋轉著出來，陪著朱紹盈展開旅行，來到孩子們身邊，說一個故事……給你聽。

在罕疾的國度，圈住希望

每一個花園都有她的歷史
等待著被訴說
每一個不正常生長的細胞
是人類收藏不來的生命課題
不論多少塊拼圖，也無法圓滿

唯一剩下的是曾經的記憶
溫暖的彎曲在母親羊水裡
那時彷彿
鼻尖上有陽光
肩膀上有彩虹
全身都裹著媽媽的味道
輕輕地，輕輕地暈了開來

但是疾病的國度，時間常常凝固
聞不到花香，更沒有任何的想像
空間一片寂默，身體裡充滿戰爭
淚流和許多苦楚，常常悄悄邁向死亡

遠方的鴿子到了嗎？
身邊的孔雀啊，你是否願意告訴我
前面的那兩條路，我該選擇的是什麼？
未來的路，究竟是那一條？

朱紹盈／在罕見疾病的國度

李校長「模式」

步上推廣兒童閱讀之前，朱紹盈在花蓮慈濟醫院擔任小兒科醫師已經十多年，雖然身為醫生，她卻認為自己常常在門診內，向每一個孩子、每一對父母，學習「人生」這堂功課。尤其想起來到花蓮的因緣，到如今她還是深深感激。

當年她即將從台大醫學系畢業，又不知該何去何從，一向和藹的王本榮教授就問：「妳想不想去花蓮慈濟醫院看看？」這一句話，讓她抱著好奇心前往花蓮，王教授幫忙聯繫當時慈濟大學的李明亮校長（同時也是慈濟醫院遺傳門診醫師），李校長還親自請她吃飯，讓朱紹盈很驚訝：「一個大學七年級的學生，在台大是最低階的人力，來到花蓮，校長還會請你吃飯？」這趟花蓮之行，對她的人生態度產生了深遠的影響。

「李校長待人總是尊重而且親切，讓人印象深刻。後來，我眞的來到花蓮慈濟醫院當住院醫師，也在這裡學會了很多李校長的看診模式，是我第一次看到不一樣的模式。」

什麼樣的看診「模式」，會讓朱紹盈如此驚訝且謙心學習？

李校長很願意花時間和病患及家屬充分溝通及講解病況，如果遇到不明白的，還會很誠懇的說：「這問題我不太會，我回家查書看看再告訴你。」給病患充足的時間問到沒問題為止，這已經很了不得，朱紹盈在聽到這句話時，非常傻眼，她說當年的一些老師們怎麼可能會當著病人的面，說「我不會」？那種環境下的驕傲，那種權威建立得多麼強大，完全不可能。她卻從李校長身上看到這麼眞實而誠懇的態度。

「我也要當這樣的醫生，跟病患站在同樣的高度，傾聽他們的心聲。」朱紹盈下定決心。

她認為老師影響學生很大！如果是一個「權威」的醫生，那也會影響學生成為一個權威的醫生，這就是身教。跟著李校長學習期間，朱紹盈覺得他是一位眞正的領袖，當然，成為領袖有很多的條件，或許要有核心的特質，精神層面……等等，但她覺得最重要的是，領袖要看得到帶領的那一群人裡每個人的特質，只有用心「看到」，才能幫助這些人成長。

眞正從醫後她更發現，醫療知識的學習只要時間足夠，絕對能學有成就；從醫的難，卻是難在和病人的互動與溝通，這之間存在的是有沒有付出關心與愛心，而不是醫學知識懂多少。認識王本榮教授和李明亮校長之後，讓她看到當醫生的意義在哪裡！

「對啊，我們把疾病治療好，覺得自己很厲害，那是滿足自己而已。我剛開始看門診，阿公阿嬤或家長聽到小朋友的病情不好，有時就在我面前大哭，我眞的不知道要怎麼辦，只能硬撐著過去。有太多這種第一次，不知道要怎麼面對的第一次，當年在學校沒有人教我們這些啊！治病是醫生的能力範圍，但如何安撫病患和家屬的心呢？這種撫慰與溝通是一門大功課、一個大學習。」

她深深的反省：「所以我可以說，醫生也沒什麼了不起，反而要很感恩有這麼好的角色可以去扮演，尤其這整個社會與教育體系的培育，讓我們可以變成醫生，有多厲害？其實都是別人給的機會，整個社會的栽培，我們要懂得謙卑看待這個角色，否則只能成爲照本宣科的醫匠。」

冷門領域需使命相隨

兒科加護病房。

初生嬰兒。

「這小寶寶身上的毛髮非常多，還有一些色素，看，藍藍的斑塊。」

「喔，解便便了，那腸胃還不錯啊！」

「眼睛說是有張開過……」

「之前沒有任何自主性的動作，沒有刺激反應，也無法自發性的呼吸，要靠呼吸器，現在已經有一點反應了。」朱紹盈心疼的說。

小嬰兒絕對安靜的躺在病床上，嬌嫩的小身子動也不動，罩著呼吸器，胸口微弱的起伏。身體很明顯能看出毛髮異常多，耳朵發育不良，形狀不對稱，下巴很小並向後縮，像小魚般的嘴巴，皮膚很乾像脫水，有點雞胸……

這嬰兒初來人間，就直接向大家宣告活著的艱難。

溫柔的目光在那小小身子停留許久，朱紹盈離開病房前，彎腰低聲說：「小寶寶對不起吵到你，現在檢查結束了，你要加油喔！」

每一次面對這些罕見疾病的孩子，總會讓朱紹盈想起，當初為什麼會選擇成為兒科醫師？

就讀醫學系五年級時，朱紹盈被派到兒科加護病房，她看到一個乾乾淨淨沒有意識的孩子，插著管，因為先天性多重畸形必須依賴呼吸器維生，住院的三年期間，每個星期五下午，都會有一位非常美麗優雅的媽媽來到加護病房，坐在孩子的身邊陪伴，和他說話，一直到星期天晚上才離開。

這孩子厚厚的病歷疊起來幾乎都快到腰部了，特殊的病況造成家庭很大的震撼，卻連非常專業的老師們都診斷不出病因，令年輕的她無限感慨之餘，也初次感受到，醫生也不是萬能的，這世界仍然存在著許多未知，許多人們所不能明白的事。

見到朱紹盈的困惑，老師卻問：「兒科遺傳這種冷門的領域都沒有人願意走，妳有沒有興趣？」

她心中一熱，明白冷門背後的辛苦，又想到實習時看到兒童和家長的無助，「人家不願意走的，我就來試試看吧！」她形容自己這個決定一點都不理性，純粹是感性之下的衝動，尤其在實習時印象最深刻的三件事，其中兩件就和兒童有關。

第一，大學五年級的實習，她發現自己很喜歡小孩，只要放假的時候，就會帶很多東西到病房去陪小朋友，甚至教他們種豆芽、做勞作，做很多很好玩的事情。陪伴孩子的過程很舒適很平靜，也許這過程就讓她心裡某些東西慢慢萌芽，直到自己也成為小兒科醫師。

第二，大學七年級，第一次遇到在她面前死掉的病人。那是一位很胖很壯碩的大漢，腦出血，一來醫院就沒有呼吸心跳，一大群人送他進來時，連病床都快撐不住，因為實在太胖了，後來急救無效，幾乎血流滿身。往生時，她完全無法動彈，腦袋一片空白，其他醫護人員趕快把站在床腳的她架走。這是朱紹盈首次面對血淋淋的死亡，完全不知所措。

第三，有位小朋友因癌症病發死亡，護理站通知要準備拔除身上所有的管線。她那時其實還滿膽小的，有些怕黑，從宿舍走到醫院時，一路上很黑很暗，不由得感到害怕，等她衝到小病患身邊，把所有管子拔掉、清乾淨以後，不知爲何心就安定下來了。朱紹盈撫觸著那小小的身體，心中只有疼惜，無有其他，她一心一意清理所有的傷口，把出血的地方全部擦拭乾乾淨淨，希望讓這孩子的靈魂也能隨之平和寧靜。

經過此次拔管事件，從此以後在醫院任何一個地方，不管多黑，面對再多死亡，朱紹盈都不再害怕了。也許，凡此種種經歷都埋下了她將來要爲兒童而努力的前因。

出門找病人

「李明亮教授只要坐在診間裡，全臺灣小兒科醫師看不懂的個案都會自動轉來給他，我來到花蓮，坐在門診裡等了又等，卻沒有什麼病人來找我！」

來到花蓮慈濟醫院的前幾年，幾乎沒什麼病患出現在她的門診，主因是朱紹盈的專長爲小兒遺傳、先天性代謝異常及兒童內分泌與生長發育疾患，這對當時東部地區的民衆來說，比起冷門還更冷門。

不能枯坐在診間等病患，左思右想，她決定主動出擊，也想趁著到處去拜訪的過程，了解花蓮兒童的相關狀況。朱紹盈厚著臉皮去各個學校敲校長辦公室的門，到啓智學校、教養院、基層醫療院所、早療協會、校護系統等等應該會出現病人的地方拜訪，還走入社區到處分享。

一一敲門的結果，發現醫療人員、家屬，對冷門的遺傳疾病的認知，都很需要被提升，尤其東部連一個罕見疾病的病友團體都沒有，朱紹盈內心裡隱隱然的俠女性格被激發出來，開始各方聯繫、爭取，在醫院成立了包括東區透納氏症病友會、第一型糖尿病病友會、花東地區先天代謝異常疾病病友聯誼會、東區唐氏症病友會、彌勒天使家長聯誼會以及東區楓糖漿尿症（MSUD）小小病友聯誼會，共六個兒科罕見疾病的病友團體。

之所以不怕辛勞的四處奔走，是因爲她認爲：「這樣的病友團體很重要，讓他們能保持聯絡，也能從團體裡產生互助的力量。」

除此之外，爲了加深對東部疾病的認知，除了花蓮，朱紹盈也常跑台東；接到需要演講、衛教與相關醫療服務，馬上飛奔過去幫忙；爲了提升東區民眾對遺傳、罕見、以及兒童成長相關疾病的認識及照護技巧，她還到廣播電台主持節目，甚至錄製衛教短片，從未上過鏡頭的她，國語愈說愈標準，甚至連不「輪轉」的台語也可以說上幾句。十多年下來，六、七十場的演講及推廣，讓不少的家長、病友、包括啓智中心的老師及學校校護，基層醫療院所，都知道一旦遇到特殊疾病的孩子，找她準沒錯。她也因此診斷了不少個臺灣第一例的極端罕見疾病，甚至找到一個花東地區年紀最大的唐氏症兒，竟然已經快五十歲了！

「東部民眾很善良、很純樸，具有廣大的胸襟，放得下也看得開，不過卻也因爲這種樂觀的心態，即使身處的環境資源比較不足，依然沒有危機意識，也不知道可以積極去爭取。」

接觸這些病患常常讓朱紹盈陷入沉思，有時還是會忿忿於世界的不公平，但更多時候，卻是回頭檢視自己存在的價值，留在花蓮長達十八年而心志不改，只是希望能爲這裡的病患多做一些事。

自掏腰包買疫苗

二〇〇五年，朱紹盈隨著花蓮慈濟醫院的IDS（偏遠醫療效益提升計畫）團隊到花蓮縣秀林鄉幫小朋友健檢，發現山地鄉因爲比較貧窮，大都沒有打肺炎鏈球菌疫苗，她才恍然大悟，爲什麼病房裡會有那麼多因肺炎住院的原住民小朋友了。

身爲小兒科醫師，她知道肺炎鏈球菌是造成小孩肺炎死亡率最高的病菌，台北市全部的孩子都有機會施打疫苗，花蓮的孩子呢？

由於當年的肺炎鏈球菌疫苗還沒有納入健保給付，但朱紹盈認爲孩子的健康不能等，所以寫了完整計劃，馬上去拜訪生技公司、縣政府、衛生局，甚至請台大的老師背書，請衛生所的護士協助調查需要疫苗的孩子人數，通過了層層關卡，終於獲得相關單位的認同和支持。二〇〇八年，她自費幫三個山地鄉的孩子打了五百多支的疫苗。

問她自己到底花了多少錢？她眨眨大眼睛：「我忘記了啦！我只是想，若能讓這些孩子都能打疫苗，那威脅他們最大的一隻細菌不就被消除了？」

直到今日，肺炎鏈球菌疫苗已經全面納入健保，所有的孩子都能免費接種，這讓她眞正的鬆了口氣。

不只面對疾病

罕見和遺傳疾病，不但在醫療上屬冷門科別，在現實生活中，同樣被隱藏在冷冷的角落。

面對東部，初來乍到，朱紹盈發現很多特殊疾病患者躲在家裡不想出來，就算醫療團隊們辛辛苦苦找到，他們卻寧願逃避也不想面對。原來，在鄉下地方還是認爲家裡若有異常的小孩是很丟臉的事，老一輩還會有因爲被神明懲罰之類的說法。這種不想被知道、必須要躲藏的心態，使得朱紹盈工作的特別性又多了一項：不是等病患來門診，還必須下鄉去找到人，再費盡心思說服他們接受治療。

就算來看診，孩子身後的父母、家庭狀況、生活環境等等，更是必須納入考慮的重大因素，這是一條漫長的路，不只是疾病的照顧，還有心理的建設，甚至要將「陪伴」盡可能落實於病患的生活中，這樣照護的情感既久又遠，非常深刻。也因爲投注的心力太大，才會變成很少人願意選擇的冷門科系。

朱紹盈在花蓮已經培養了兩位遺傳諮詢師，其中一位遺傳諮詢師翁純瑩，對於陪伴這些病患，心裡有說不完的故事：

甲媽媽帶著孩子來住院，起因是肺炎，負責的醫師認爲狀況有些特別，就會診兒科，請朱紹盈前去看看，當時這小朋友還不到一歲，一旁的媽媽全身都是酒味，深入關懷才知道，甲媽媽和前夫育有三名子女，離婚後又和男友生下這個小孩，可能因爲孩子的種種問題，包括先天性甲狀腺功能低下、發育遲緩、語言、聽力、視力等等，有一天，男友就消失不見不再回來。

「一開始感覺這小孩很不受重視，只是因為生病了，才會被帶來醫院。」翁純瑩搖搖頭，無奈的說：「印象深刻的就是，她常把小孩丟在病房裡，人就不見了，要用廣播才會回到病房，甚至就找不到人了。」

這不只是孩子的疾病問題，還有媽媽的心理狀態，一來害怕，不知該如何照顧這樣的孩子；二來壓力，這並非是在婚姻之下出生的小孩，甲媽媽也怕村裡的人閒言閒語。

要確定這孩子的異常狀況，必須送檢體到國外做檢驗，但是他們經濟情況不好，醫療團隊就會同社工及社福單位協助，又擔心甲媽媽要照顧四個小孩，可能無法兼顧，也提報給社會局和慈濟基金會定期關心，並且請他們保持回診來追蹤孩子的身體狀況。一步一步，不放鬆的陪著，後來，這位媽媽才慢慢產生信心。

「她帶孩子回來門診時，我們也常關心她的生活狀況，不只是看疾病而已。陪伴將近七年，小朋友都七歲多了，看到媽媽從無法接受，到接受，到願意照顧這樣的小孩，當然我們心裡是很欣慰的。」說到這裡，翁純瑩露出安慰的笑容。

朱紹盈不免感慨：「這位媽媽曾經說過，如果我們沒有伸出援手，她和孩子早就活不下去了，其實她心裡受到很大的煎熬，很需要有人協助，我們不能只是看到外在的因素，問題的背後往往有許多心理因素需要去理解。尤其我認爲所謂先天性的疾病，是社會上大家共同的責任，不能丟給一個家庭獨力承擔，社會的力量要加進來，用更包容的想法來陪伴他們一起度過。」

乙媽媽生了個很可愛的小女孩，非常愛笑，但因腦下垂體發育有問題，必須每天打生長激素與口服甲狀腺素，每個月都要回診以評估生長情況。一開始乙媽媽不願意帶她來醫院，覺得孩子這麼可愛又漂亮，根本沒問題，只是矮了點。

朱紹盈就請公衛護士去勸說：「她是很可愛沒錯，但妳沒發現，她比同年齡的小孩矮很多嗎？爲了孩子著想，最好還是保持治療。」

乙媽媽勉強同意，過沒多久人卻消失了。公衛護士再去拜訪，早療系統的人員也幫忙尋找，但是都找不到人，最後是社會局出動，才發現他們跑到桃園去，爸爸因為菸毒罪被關，媽媽也被觀察中，小孩就被當地社會局安置。

後來聽聞乙媽媽回到花蓮，孩子也回到她身邊，可是始終一直在流浪，難以確定他們的蹤跡。

「突然有一天，我在門診時看到這對母女出現，非常驚訝，原來是小朋友的殘障手冊到期了，我們趁此機會要求她必須帶孩子持續治療，才同意幫忙換手冊。如果不如此，眞怕人又不見了，這孩子的未來該怎麼辦？」想到追蹤過程的辛苦，翁純瑩不免嘆口氣。

這麼多年來飄忽不定的蹤跡，小女孩已經九歲，身高卻只有一歲半小孩的高度，不但失去黃金治療期，智力受損，也沒有上學，直到今年才被安置到學校。

乙媽媽捨不得女兒去學校，怕被欺負，但為了孩子的未來，醫療團隊一再溝通，也保證會拜託學校幫忙照顧，乙媽媽雖然勉強同意，聯絡入學卻爽約兩次，學校也很煩惱很擔心，最後是請公衛護士在第三次入學通知時，親自陪同一起去，讓媽媽也在教室陪伴，確認孩子的狀況，結果發現這小女孩非常喜歡讀書，喜歡和同學在一起，大家也對她照顧有加，像在呵護小妹妹一樣，媽媽才終於放心。

「這孩子眞的很可愛，去年還長了快九公分喔！不過，唉，有些家屬眞的很不一樣，我們盡全力幫孩子找到策略和治療方法，他們只要配合就好，卻往往發生人不見了，或者不要治療的情況。像這家庭因爲有種種背景因素，我們只好使用攻防戰，趁著她們來換手冊的時候，就談好『條件』。」朱紹盈笑得頗爲無奈，「變成要用這種策略，才能讓家長固定把孩子帶來回診，其實我們只是希望孩子不要錯過了重要的治療期啊！」

像這樣的案例，一個又一個，來的時候也許是初生嬰兒，這一陪伴和照顧，時間拉長到了對方都讀國中或高中了，就如一條蜿蜒的河流漫漫於長路之中，也許歷經山林或城鎮，也許默默回到大海，時間就是沿途的風景！醫療團隊在時間的河流裡費盡心力，也不過是希望每個孩子都能有接受治療的機會，好好長大，這才讓付出有了些許成就感。

身為特殊專科的一名小兒科醫師，朱紹盈不只要面對疾病本身，不只是面對病患本身，還有其身後廣大的問題……如果愛可以超越病痛，那必然在背後有一雙手從不放棄，有一顆心從不停止付出。

向不一樣的父母學習

恩恩的故事

恩恩六個月大時，還住在充滿羊水的皇宮裡，卻被一位調皮的醫師用萬花筒照妖鏡找出了她所有的缺陷。

媽媽撫著肚子，和爸爸一起走過慕谷慕魚的山路，來到小豬醫師面前聽答案。

小豬醫師摸著水晶球，殘忍的預告了：「這是一隻不完美的兔子，將來要面對無止盡的風浪，而且不會被人類接受。」

爸爸沒有悲傷，溫暖地握著媽媽的手，勇敢地說：「感恩這個學習的機會，我們來做一對不一樣的父母吧！」

小豬醫師瞠目結舌，沉默良久，決定不再做預言大師，

她慎重邀請了許多醫師好朋友，一起迎接這隻不完美、多毛，但是被愛著的兔子。

——朱紹盈／預言師

她是恩恩，笑容如此純真。還在媽媽的肚子裡，就被診斷是VACTERL聯合畸形。

她是這對父母的第一個孩子。即使讓他們知道將來的養育會有多麼困難，要多麼辛苦面對，他們卻回答：「上帝要讓我們做不一樣的父母，我們願意去接受、去試試看。」

帶著受到震撼的感動，朱紹盈輕輕的說：「你們的任何決定我都支持，這一路上一定會努力陪你們一起走，但是，也要將可能要面對的問題一一理清楚，才能更穩定的踏出下一步路。」

朱紹盈揉揉眼睛，目光重新停留在遠方，遠到幾乎繞了地球一周才重新回來，心裡想：人啊，一定要很完美的孩子才能被接受嗎？許多家長連小小的唇裂的情況，就會選擇放棄胎兒，可是這對父母到底要接受多大的考驗？他們秉持著什麼樣的價値？生命的意義又是什麼？

在傳統教育過程裡，她不曾學到這些；而從醫的經驗中，當一個異常的孩子到來，家庭關係經常會變得不好，造成的緊繃與衝擊常常是很大的，這家人不但沒有，在宗教信仰的支持下夫妻同心面對，還能用樂觀迎向喜怒哀樂的將來。要知道，恩恩的 VACTERL 聯合畸形不是那麼容易處理的，心臟需開刀，脊椎有問題，右手少了橈骨，屁屁也要開刀，好多好多的問題要常常跑醫院，除了醫藥費、心力的交瘁、來回奔波等等，沒有一件是輕鬆的，這家人雖是一般的小康家庭，卻能有這樣的胸懷和廣闊的愛，來接受一個 VACTERL 聯合畸形的小孩。

朱紹盈著實上了好大一堂人生課。

爲了陪伴這家人的勇敢，她不定時都會主動去家訪，看看孩子的情況。

攝影／廖家麟

朱紹盈在往診時去看恩恩(左一)，總會牽著
她的小手在鄉間小路散步。

每一次牽著小恩恩的手，一小步一小步走著，就像是一起走向未來。

「恩恩眞的很可愛，還會捏人呢！」說到這孩子，她就笑容滿面。「是因爲要去家訪，才讓我有機會到一些小鄉村，本來是路癡的啊！現在開車去家訪，都難不倒我了啦！」

芊芊的故事

三、四歲就被診斷出羅患白胺酸代謝異常的芊芊，媽媽很早就往生，爸爸雖然做臨時工，卻沒有放棄小孩，努力賺錢養家照顧孩子。

羅患這種疾病的人，容易產生低血糖、酸血症與發生痙攣的狀況，不能吃蛋白質、不能吃肉、不能喝牛奶，還必須喝特殊配方奶粉，和吃一種被稱爲「孤兒藥」的罕見疾病用藥。之所以被稱做「孤兒藥」，是因爲病例數少，全世界的案例可能也不會超過五百個，藥廠要研發他們所需要的藥，一定不符成本，政府就會多方鼓勵，幸好還是有一些藥廠願意爲這些孩子把藥做出來。

朱紹盈為了鼓勵芊芊認真讀書，就告訴她，只要考前三名，會有一份小禮物贈送。

芊芊果然很認真，每學期都會帶獎狀到門診來，朱紹盈看到孩子這麼用心，也喜滋滋的準備禮物，有一次，她隨口問：

「你們班上有幾位同學呢？」

「三個。」芊芊快樂的回答。

她和護士當場傻眼，呵呵，難怪每次都一定有獎狀。從來沒有想過，一個班級裡只有三名學生啊！這算是偏鄉學校特有的景況吧！不過，她還是兌現諾言，照樣送禮物，只要看著這些孩子平安長大，她心裡的喜悅就像大海一樣滿。

「芊芊的家在台東海端鄉的一個部落裡，記得第一次去家訪時，她看到我，遠遠的衝過來抱住我，口水流得我的長髮都是，不過我還是很開心，她現在都十五歲了。」

朱紹盈一路看著芊芊長大，如今是個小姑娘，是個小大人了，一家人都很樂觀，爸爸沒有放棄，總是千里迢迢按時帶孩子回診，芊芊自己也沒有放棄，認真吃藥，配合醫療。十多年來狀況始終很穩定，這讓朱紹盈相信，只要家庭功能健全，願意和醫護人員共同面對未來，適當引入社會資源，即使是罕見疾病的小孩，也能平安順利長大。

她知道，一個家庭要面對這樣特殊的小孩，不只是勇氣而已，還有漫長的照顧和種種的辛勞，可是人生的選擇題已經降臨，我們要選擇哪一條路呢？朱紹盈當然期望大家能選擇和恩恩的父母同樣的路：

「感恩這個學習的機會，我們來做一對不一樣的父母！」

那麼，她肯定也會做個不一樣的醫生，陪大家一起走向不一樣的未來。

我一直都在這裡

黏多醣症、半邊小臉症、楓糖漿尿症、VACTERL 聯合畸形、馬凡氏症候群、唐氏症、WAGR 症候群、裘馨氏肌肉萎縮症、白胺酸代謝異常、小胖威利氏症、Robinow 氏症、染色體異常、先天性甲狀腺功能低下症、魚鱗癬症、LOWE 症候群、泡泡龍、神經纖維瘤第一型、威廉氏症候群、小黑人症、瓦登柏格式症候群、龐貝氏症、成骨不全症、先天性腎上腺增生症、黏脂質症……

我們能想像嗎？這麼多特殊的先天性或遺傳疾病，會出現在孩子身上，哪怕只是萬分之一，也會讓手足無措的父母惶恐不安吧！

「剛到花蓮面對這些罕見疾病的孩子，心裡一直有不肯放棄的念頭，一定要找出病因和治療的方法。」朱紹盈很堅定的說：「有些很難診斷出來，可能很少見，甚至是從來沒遇過的疾病，這是很大的考驗。當然有些也是我不會的，可是從來不想放棄，以醫生的本分，我必須診斷出原因進行治療，家屬和病患才會知道要怎麼辦啊！」

除了治療疾病，最重要的仍是溝通說明和陪伴傾聽，朱紹盈認爲只有跟病患及家屬建立良好的醫病關係，才能找到當醫生的眞正意義。

例如診斷出病因後，阿公阿嬤或父母會在她面前哭得很傷心，讓她也很難過，有時連安慰的話都講不出來；有的家屬會憤怒的拒絕接受診斷結果，不相信自己的孩子會生這種病；或者要扮演複雜的和平角色，像老人家一生氣就開罵：「妳看我那媳婦，就跟她說懷孕的時候不可以一天到晚打電腦上網滑手機，結果妳看妳看……」她就必須委婉的解釋與協調。

或者使用人性策略：有位罹患泡泡龍的病患，要求他一年回診一次，偏偏拖了三年還沒有來，朱紹盈好不容易把人「逮」回來就診，立刻做全身性檢查，一看結果，問題就有七、八個，尤其血紅素、蛋白質等等都嚴重不足，她一項項列出問題來，堅持病患一定要規律的回到門診持續追蹤。

「他就會找很多理由，像是沒有人載啦，搭不到交通車啦等等，我很嚴格的說，任何理由都不成立，一定要規律的回來追蹤檢查，就是這樣，沒得談。」

當醫生的，比病患還要重視健康，遇到患者本身的滿不在乎和拖延，真是更大的考驗。後來，她想到了一個好辦法。

有一位十六歲的小媽媽，生下泡泡龍症的小寶寶，朱紹盈就請這位已經二十多歲的病患，來和這一家人分享如何照顧「泡泡龍」症的小孩。這時互動模式就不同，不再是醫生與病患，他轉換角色成為分享者，感覺自己也能幫助別人，生命就有不同的存在意義。

在疾病的國度裡，朱紹盈認為自己的成長就如小樹苗成為參天大樹一樣堅穩，學習同理家屬的感受，好好溝通，提供支持；學習面對家屬的情緒和心靈問題，再慢慢把可能會有的心理狀態提升起來，幫助他們明白罕見兒的疾病不是悲情，停留在抱怨或怨恨裡完全無益，事實已是如此，不如接受這場人生的功課吧！

「當醫生原來也是功課啊！學習生命這個重大的課題。像家屬哭成那樣，或者不知所措的想拋棄孩子，我知道他們的愛一樣在，只是不知道該怎麼辦才會焦慮不安，看到這個面相，會知道背面的因素，就要把他們的情緒和心拉起來。」說到這裡，朱紹盈滿心都是感激。「其實，就是因為有許多很棒的同事，大家跨團隊、跨專業，像是耳鼻喉科醫師、語言治療師、復健師、內分泌疾病、心臟疾病……好多好多，每個特殊的孩子都不是一個人能照顧的，必須是團隊。花蓮慈濟醫院的團隊，我認為是很強的，大家都樂意相互支持協助，所以從來不孤單。」

有一次去居家關懷和往診時，大愛電視台的記者問：「為什麼要一直往診呢？那麼遠，這樣跑不是很累嗎？」

朱紹盈默默的回答：「我想讓家屬知道，我一直都在這裡，也很感謝他們，讓我的存在更有價值和意義，因為大家是相互的，不是離開診間就沒有關係了。」

車子飛馳在鄉間綠野，她的眼神特別篤定。是的，不是看診後就結束了，因為每個小病患對她而言都是獨一無二的，每對父母的努力在她心裡都是勇敢的，她一直都在，和大家一起培養支持與安定的力量。

門診外，開啓閱讀夢

從親子閱讀開始
在溫暖的懷抱裡
呢呢喃喃，咿咿ㄚㄚ
過程中找到和家人的連結與陪伴
那是無形的穩定力量
一輩子都會存在的支持印記

朱紹盈／送子鳥的心願

逐夢不忘本

有一天，朱紹盈回到慈濟靜思精舍開會，結束後，證嚴法師關心的問：

「除了當醫生，妳平時還做些什麼呢？」

已經是教學部師資培育中心主持人的她回答：「大部份是培育老師，增加他們教學的能力。」

「要面對多少老師？」

「大概六百位。」

「那我要面對的比妳多很多啊！我教妳一個方法，要協助老師們找到人生的目標。」

朱紹盈聽進心裡，在課堂中特別留心教學的方向。

只不過「人生的目標」這幾個字，依然盤旋在她心中許久，直到有位朋友反問：「那妳得先問問自己的人生目標是什麼？」

她一聽，想起自己成爲兒科醫師十多年來，一直思考著能給兒童更多的什麼？

已經有很多的研究證明，閱讀和教育的確可以改變人生，朱紹盈在書中看到了許多成功的案例，她身在東部，盡心盡力為罕病兒爭取資源，及建構雙向醫療聯繫與轉診網路，如今，她也希望為其他健康的兒童做一些事，尤其是幫助他們脫離種種不適合的環境，找到自立自強的人生，那麼，閱讀也許會是個好方法，可行的動力。

她開始想像著自己的人生目標，要來蓋一個大大的兒童圖書館，讓所有兒童都能來到這裡，她想要盡力陪伴和推廣……有了這樣的想法後，她萌生辭職的念頭，想辭去醫生一職，全心做推動閱讀的志工。

聽聞朱紹盈想辭職，靜思精舍的德悅師父前來關心。

「我第一次聽到朱醫師在報告罕見疾病的個案，其中全心致力找到病患的過程很讓人讚歎，尤其講到個案的時候，並不只在乎患者本身，從一個人到父母到家庭，乃至學校和社會環境，她都關注到了。聽著聽著，就覺得這醫生好有愛心又很有正義之氣。」

德悅師父很認同兒童閱讀的重要性，卻也更珍惜一位好醫師。因而語重心長的勸阻她，循循善誘的說明不能因爲要做好事，卻把同樣重要的事放掉，若以醫師的身份來推廣閱讀，必定會更有助益。

「培養一位醫師，基本就要十年以上，如果要再培養成仁心仁術的大醫王，不知要多少個年頭，這麼好的醫生不當醫生了，是非常可惜的。」德悅師父說：「醫生當然也會有自己的夢想，如果這個夢想是以愛爲出發點，更要能傳遞下去，她除了從醫，還有同樣重要的教育任務，藉此種種，就能傳遞愛的夢想，所以絕不能輕言放棄醫生的功能。」

一顆熱燙燙的心冷靜下來仔細思索之後，朱紹盈不再談離職，轉而計劃從醫生的角度出發，邁開推廣兒童閱讀的理念。

她也沒想到，上人這一問，卻問出她心底的聲音——如今她所要學習的，是在兼顧醫生的角色之下，實現推廣閱讀的夢想。

俠女的眼淚

從醫以來，朱紹盈還想要協助某些具有高功能的病患，例如唐氏症患者，找到可以進入社會以及正常工作的方向，讓他們有個自力更生的平台，例如小小烘焙店或是生活小站。

總算有因緣能在醫院設置一個烘焙坊時，朱紹盈高興到要飛上雲端去，能夠夢想成眞的背後，該是多少病患能和社會接軌的未來，以及獨立生活的起步啊！

她不只積極到台北參觀類似的商店，探討如何經營，能做到什麼程度，也邀請相關的創辦人來花蓮看看場地，大家相談甚歡，甚至把各項需求及資源都整合，準備好許多前置工作，包括要義賣的小產品都做好了。朱紹盈滿心歡喜，在她內心一直渴望著能爲病患做更多事，卻總也不得其門而入，若是這個小小烘焙坊眞能成立，對這些孩子是多好的事情……

後來，因緣不俱足，讓所有的前置努力都成了夢幻泡影，這個小小烘焙坊的計劃，也跟著夢醒而碎。

「回家後哭得好慘，沉寂了好一陣子，才能慢慢復原。」朱紹盈坦白的說，不過回想起來，她還是感恩。「當時哭得好慘，是因爲築夢的時候，夢破滅了，一定會有的情緒反應，幸好現在愈來愈進步，有情緒進來後，能很快調整好。我先生就說我這十年來，哭的頻率愈來愈少了，抱怨的頻率也愈來愈少了，哈哈。」

也許源自於童年時看到自己和同學的差異，也許受書中仁俠之士仗義之行的啓發，她從醫之後的淚水，常是爲了遇見不平之事而起，難怪總有俠女之稱。

朱紹盈不好意思的說：「對啊，從前拔劍很快，出劍更快……現在可以更穩定些了，要謝謝師父常提醒我，人生不是只有黑白，要記得中間還有灰色地帶。」

初始想要爲高功能罕病兒設立小小烘焙坊時，德悅師父曾從中協助，尋找資源；當期望落空，夢想不再，德悅師父也耐心開導，讓她體認生命裡最深層的，是付出過程的意義，而不只是結果。

「現在懂得了何時該說話，何時不該說話；何時該流淚，何時不該流淚，我現在已經有點過度社會化啦！」朱紹盈笑了笑。

德悅師父安慰的說：「這要看定義，如果是爲名爲利，必然是社會化了，但妳只是要更愛好這個生命的價值，那不是過度，反而是更超然更超越。」

體會了這件事相所帶來的啓發，朱紹盈說自己曾經難過但沒有因而失望，拭去淚水後，還有其他的路可以走，本心即是「看到需要，所以去做」，如此而已，她相信每件事的發生都是一場功課，成功與失敗都是修行。

一個終生的禮物

案例一：

十二歲的王小明和媽媽一起來到門診。

小豬醫師（朱紹盈的暱稱）向小明問好、自我介紹後問：「小明今天是因為什麼來門診的呀？」

小明聳聳肩：「不知道！」

媽媽：「他長得太矮。」

小豬醫師：「小明，你覺得自己矮嗎？」

小明又聳聳肩，沒有回答。

小豬醫師：「是班上最矮的那一個嗎？」

小明：「沒有啊，我有贏過五個同學。是媽媽一直說我有問題！」

小豬醫師：「媽媽覺得小明是從小就矮，還是什麼時候開始發現這個問題的？」

小明媽媽：「我不知道，我一直覺得他很矮，他表哥跟他同年，比他高一個頭，為什麼差那麼多？隔壁鄰居說有兒童生長特別門診，所以我就帶他來了。醫生你評估看看有沒有問題，我希望他長很高！」

案例二：

小玲十一歲，阿嬤幫她洗澡時，摸到胸部有一個硬塊。

小豬醫師問小玲：「你有發現嗎？」

她回答：「我不知道。」

小豬醫師：「胸部會不會覺得痛？」

她回答：「我不知道。」

醫生再問：「那你今天來看我是不是因爲胸部長大了？」

她一樣回答：「我不知道！」

案例三：

小豬醫師詢問小朋友：「醫生阿姨想要抽血檢查可以嗎？」

小朋友搖搖頭，因爲害怕打針，眼淚就掉下來了。

媽媽A說：「可以抽，你是男生呢，哭什麼哭！一點都不會痛！」

媽媽B說：「抽完我帶你去麥當勞！（一面滑手機）」

媽媽C說：「叫你不要喝冰的飲料，你不聽、你看，都是你老爸害的。」

媽媽D一巴掌就下去了……

長久以來的這些門診狀況，讓朱紹盈思索親子溝通的重要性。

這種的親子互動方式會看到在父母期望之下的投射，其實是孩子壓力與挫折的來源，尤其是只看到小孩的問題，沒看見自己焦躁的情緒下意識把壓力轉嫁給孩子……，原生家庭對孩子帶來的影響是很大的。這正是證嚴上人時時提醒我們的：永遠不要忘記身教的重要性！

究竟孩子是什麼樣的生物呢？其實，他們很誠實的反映了生長的環境，所以每次在門診遇到親子溝通不良的案例，讓朱紹盈更想做孩子的代言人，她經常問自己：到底怎麼做，才眞正對孩子的未來有幫助？

「疾病大部分是能夠照顧得來的，可是在心靈的層次，我可以給什麼？」

一個禮物。

如果想要送給孩子一個終生的禮物，那會是什麼？

每位父母都應該問一下自己：孩子小的時候，我們希望帶什麼禮物送給他們？成年後，希望他們記得什麼？是一生享用不盡的財富？還是無憂無慮的生活？是吃苦耐勞的童年？還是遊山玩水的記憶？

美國詩人史斯克蘭．吉利蘭（Shickland Gillidan）說過：「你或許擁有無限的財富，一箱箱珠寶與一櫃櫃的黃金，但你永遠不會比我富有，我有一位讀書給我聽的媽媽。」

富有的定義，心靈絕對超越物質，金錢絕對比不上父母的愛。

「這個禮物不是吃喝玩樂，必須是能有幫助的。我們都知道親子關係很重要，我就想，如果能從閱讀、開始建立親子關係，等於是父母和孩子一起進入世界的殿堂。因爲我想要強調親子閱讀的意義是在這裡，而且我認爲，閱讀是生命中一個穩定的力量。」朱紹盈肯定的說。

她期望藉由共同閱讀的行爲和潛移默化的影響，讓親子間有更好的溝通管道。

「閱讀，是我希望能送給孩子們一生的禮物。」

親子閱讀的溫度

國際閱讀協會（The International Reading Association）有一句重要的口號：「有喜愛閱讀的雙親，就會有喜愛閱讀的孩子。」

許多研究都曾提到：四歲之前的閱讀經驗特別重要，因為閱讀為一切學習的基礎，而學齡前的閱讀經驗就更加珍貴。

朱紹盈渴望推動親子閱讀，正是在門診中看見父母與小孩的連結如果沒有做得很好，將來支持的力量就不容易產生，親子的連結若是紮實，孩子情緒也會比較穩定，書本只是媒介，能幫助親子關係建立得更穩定，而這種穩定會印記在孩子的心靈裡，陪伴他們度過每一個成長階段。

回想起兒時，她說家裡的書不但很多，種類更是包羅萬象。朱媽媽特別愛看武俠小說，每天晚上抱著孩子們講故事，內容總不離郭靖、黃蓉啊這些俠義人士，甚至到孩子們長大了些，能自己看懂了，乾脆就買了一套又一套金庸的武俠小說放在家裡，所以朱家的小孩從小看課外讀物長大，也在行俠仗義的信念中度過童年。除了這種信念，令她產生共鳴的還有一個人應該要有的本質：以良善待人處世。這種良善的共鳴深刻印在心裡，而背後的溫暖更加強化了這樣的深刻。

朱紹盈兒時住的地方蚊子很多，睡覺時都要搭蚊帳，他們一家人窩在大大的蚊帳裡，外面點著蠟燭，燈火投射過來顯得很巨大，就在光影相映之下，朱媽媽一次又一次的講故事，同樣的故事講很久，講到孩子們都睡著了爲止，她還記得弟弟往往是最後才睡的那一個，明明已經眼睛張不開了，還喃喃的說：「媽媽再講故事……媽媽再講故事……」

這是朱紹盈最溫暖的回憶。在燈影裡，是媽媽的聲音陪伴著入睡，對她而言，這是一種支持的力量，也是一種安全的力量。

「說故事有很多方法，學校老師或者志工或者有心人士都會有引人入勝的技巧，但是親子閱讀不一樣，不需要高超的技巧。想想看，在家裡舒適的情境裡，或夜晚柔和的燈光下，爸爸或媽媽抱著，說個晚安故事給孩子聽——那是非常享受的事情，絕對能拉近親子距離。」

對朱紹盈來說，親子間說故事的溫度，和其他人說故事絕對不會相同，這種溫度，是擁抱、是輕聲細語、是親密、是燈光、是人、是無盡的想像空間……這種感受，是快樂、是驚訝、是期待、是徜徉、是尋找、是啓發、是無盡的笑聲……

這種溫度，是一生穩定的力量。

愈走愈遼

原本腦海裡規劃著要蓋一座國家級兒童圖書館的藍圖。

抱著這個藍圖，二〇一一年夏天，朱紹盈拉著助理，冒著大太陽到處打聽及參訪，興奮的發現花蓮有很多都是讀書的好地方，其實不需要再蓋圖書館了，她決定先盤點花蓮現有的閱讀資源，進行發現、開發、連結與轉介。

二〇一二年夏天，趕在暑假前，在各方的協助之下，她自費出版了一張花蓮縣北區的「閱讀尋寶圖」，希望孩子們放假期間，可以在住家附近就能找到適合閱讀的角落。

除了持續找出花蓮北、中、南區的閱讀定點，她同時舉辦了「故事達人工作坊」，訓練了許多志工成爲說故事達人的種子。

她還和許多志同道合的老師及志工們，在水源部落成立「聚落書坊」。聚落是比村落還要小的單位，就是希望不用很大，但是點很多，讓孩子可以容易接近，她希望書坊最好就在家的附近。

尋找閱讀點時，她來到了鹽寮海邊的「海厝假日學校」，這是一間由許多多愛心人士所共同設立的假日課輔學校，免費爲弱勢家庭的學生課輔，朱紹盈發現這裡的閱讀風氣已經相當不錯，就帶著醫學生去替小朋友做衛教，發現小朋友們幾乎滿口蛀牙，她又主動邀請慈濟人醫會前來義診。

其後，朱紹盈又與教育部、縣政府、民間基金會合作，在醫院預防注射門診推動「bookstart」活動，鎖定零到三歲的小孩，在滿九個月、一歲三個月、兩歲及三歲打預防針時，各送一本繪本，一個小朋友總共可以拿到四本書以及一系列的書單。小朋友第一次拿到的書袋裡不只一本書，因爲裡面當然又增加了她自費加碼的愛心。

自從決心推動兒童閱讀，朱紹盈擬定了幾個方向：

- 閱讀資源的發現，轉介與連結
- 與兒童圖書館及當地閱讀相關單位連結
- 說故事培力
- 悅讀處方籤：疫苗注射＋贈送故事書
- 兒科病房說故事活動
- 聚落設置圖書點

她在自己的門診一五三外設置圖書驛站，讓等待的大人小孩隨時有書看，又去拜訪景美原住民青少年協會，豐田五味屋，台東縣早療協會，大富國小，紅葉國小，鳳林北林社區圖書室，東海岸假日學校，花蓮縣壽豐鄉衛生所，光復啄木鳥協會，便利商店……

朱紹盈開始感受到證嚴法師說的「有願就有力」的不可思議，這許多的助緣和力量總在需要的時刻湧現。回顧自己的人生路，可以順利成長、找到自己想做的事、貢獻所學等等，是這個社會給了她機會，尤其在當醫師的過程中，看到種種差異與不對等，她想，如果弱勢的孩子可以被栽培，他們一樣可以做許多事，只是缺乏機會罷了……

「我是一個小兒科醫師，不是只有治病，也想給孩子心靈的健康。我們會給孩子預防注射，就是以預防重於治療的角度來看；從心靈的健康來看，從小推動親子閱讀，也是生命中的預防注射。」

小時候就坐擁書城的她，知道社會資源分配不均帶來的影響，她也了解，以自己的能力，不可能給這些孩子整個世界，但若能透過親子閱讀建立堅強的親子關係，或許就能打開一扇面對整個世界的窗。

如果沒有當醫生的話，也許現在又是不同的人生風景，誤打誤撞成了一位小兒科醫生，一點一滴，幫東部地區罕見疾病的孩子建置了完善的雙向醫療照護網絡，朱紹盈現在更期許自己能幫所有的孩子，找到更穩定的人生力量。

這個閱讀夢，愈走愈遼闊。

閱讀藏寶圖

有一群鼻子很靈敏、又有悲心的小老鼠，
嗅到了花蓮特有的閱讀起士，
他們密謀，並打算悄悄前進……
找到藏寶圖了，
他們不藏私，決定公諸於世，
快來，一起尋寶吧！

朱紹盈／尋寶圖

五隻蟲蟲「走」過來

一位喝醉酒的婦女即將生產，醉醺醺的自己來到醫院，醫護人員趕忙準備接生，正在擔心醉酒的這位媽媽要如何配合生產過程，沒幾分鐘，寶寶像是溜滑梯一樣自己生下來了，這位婦女隨即呼呼大睡，問她什麼都無法回答。

朱紹盈想起初來花蓮遇見的種種現象，讓人立刻感受強大的城鄉差異性。

「在北部，婦女要生產是多麼不得了的事，固定產檢，時時保護，生產當天要有人陪伴照顧等等，但是她喝醉酒，還知道要生小孩了，一個人跑到醫院裡，突然就把小孩生下來，生完自己就睡著了。」

除了驚訝這個差異性，還有五隻蟲蟲的震撼。

朱紹盈在值班急診時，遇到一位被緊急送醫的小男孩，由於咳嗽咳得很嚴重，正準備進行檢查時，小男孩突然在她面前大咳特咳，幾秒後就咳出兩條大蛔蟲，從嘴巴裡緩緩掉下來……從醫以來，朱紹盈只看過蛔蟲的標本，瞬間見到「本尊」，驚愕之餘有更多的擔心。記得老師教過，寄生蟲大部份寄生在腸子裡，小蟲若是太多，才會穿過腸壁到處飄動寄生，也才有可能跑到肺或胃裡，小男孩咳出那麼大的兩條蟲，可見偏鄉的衛生概念眞讓人不放心。

一個很漂亮的八歲小女孩，因爲肚子痛又發高燒，被地方醫院以爲是盲腸炎，開了刀才發現不是，於是緊急轉送到花蓮慈濟醫院，因爲送來的時候已經很危急，搶救過程非常短暫，沒能找到病因，小女孩就這樣往生了。雖然令人傷心，朱紹盈還是不放棄，持續翻遍全身進行檢查，想找出奪命的病因，忽然，就在孩子的左邊肩膀發現有蟲咬的焦茄狀傷口，抽血檢查結果確定是恙蟲，沒有機會及時發現及時治療，讓小女孩失去寶貴的生命。

此外，朱紹盈在門診中，又陸續看到疥蟲、小黑蚊的叮咬對孩子們造成的傷害，到部落裡去推廣閱讀時，也發現好多小孩有頭蝨。

她心想，如果能徹底落實衛生概念和生活教育，有書可參考或有人教導，至少讓孩子們在平時，或者到草叢、野地裡玩的時候，學會保護自己。她決定要把這五種蟲蟲——蛔蟲、恙蟲、疥蟲、小黑蚊、頭蝨的故事寫成繪本，將來可以做為衛教的題材，雖然會侵襲人類的蟲蟲有許多種，但這五種蟲蟲卻是她在東部地區較常見到的。

小朋友受到蟲蟲侵襲？當時在小兒科實習的慈濟大學醫學生蔡斗元，聽到老師有這樣的想法，感覺很有趣也很實用，他找了幾位同學和老師一起討論要如何創作？本來只是想用文字寫成故事，一向熱心的東華大學林偉信老師，得知這個構想後提供許多建議，甚至找自己的學生也一起來加入討論，包括怎麼畫圖、如何完成等等。

朱紹盈的辦公室經常很熱鬧。「偉信老師和斗元穿針引線，慈濟大學和東華大學的學生一起聯手合作，我們決定一起來做花蓮的孩子受到蟲蟲威脅的有趣繪本，我還寫了很好玩的故事。」

不過，好多個月過去，蟲蟲繪本有些難產，蔡斗元說，雖然構想都有了，卻很難真正執行，大家真的很有心想做，但熱情有餘，專業不足。

「這也是我們的初體驗嘛，創作的人不只一個，結果眾人畫風各不相同，例如有的蟲比較胖，有的蟲比較瘦；有的走溫暖色系，有的走冷色系，哈哈！」蔡斗元有些不好意思的說：「我以為畫繪本像是一幅水彩畫，可以一氣呵成，結果是我太天真了。再加上同學們進入實習階段眞的很忙碌，時間不容易聚集，於是，只好再看看吧！這一看，就三年過去了。」

朱紹盈嘆口氣說：「可惜學生太忙碌，沒有人能持續幫忙，五隻蟲蟲的故事就不了了之。」

繪本雖然沒能完成，卻一直放在朱紹盈心裡，她好想把蟲蟲故事化身為充滿樂趣及啓發的兒童繪本，用好玩的方式享受知識，即是期望慢慢讓小朋友們愛上閱讀，藉由任何方式，感覺讀書的樂趣所在。

一切隨緣，也不放棄把握因緣的朱紹盈愉快的說：「沒關係，等待因緣，如果繪本能完成，拿來當閱讀的啓發，讓知識不再生硬，可以輕鬆融入生活；如果不能，我們還是會隨時宣導，讓小朋友們能學習保護自己，蟲蟲危機不再來。」

門診一五三

才剛出生的新生兒，就被診斷出甲狀腺的問題，媽媽心疼的哭了。

「想到孩子可能一輩子都要吃藥，我實在捨不得……。」

朱紹盈趕緊安慰：「先不要擔心，總是要把可能性都先告訴妳，其實這還要再追蹤三年，等檢查都做完再來看結果，勇敢一點，這並不是不能治療的病！」話鋒一轉，她又說：「妳的糖尿病問題控制得怎麼樣？減重還是必要的，想要照顧好小孩，自己不健康不行喔！」

十六歲的年輕小媽媽，生了個泡泡龍症的小孩，臉上很明顯帶著初為人母的不安。

「可以吃的食物有哪些？要怎麼補充孩子的營養知道嗎？」朱紹盈一一細數何種食物才適當。「我能做的一定會盡量，孩子既然來了就要好好養喔！」話鋒一轉，耐心的建議：「妳還這麼年輕，有沒有考慮去讀護校？有了充足的醫學常識和經驗，一定可以把小孩照顧得更好，將來也可以幫助更多小朋友喔！」

明明是兒科醫師，她卻連大人的狀況也要再三關心，除了問診，更多的是叮嚀，愛畫畫的她，提筆一揮，隨手就能畫出可愛的卡通送給小小患者當做鼓勵。視病如親還不夠，她關心的觸角延伸到了門診外。

因應世界潮流，教育部早在西元二〇〇〇年時，也發起全國性推動兒童閱讀的活動，不但提撥經費，還大量贈書給各幼稚園及小學、培訓種子教師等等，當時臺灣確實興起一股兒童閱讀的熱潮。時至今日，這股熱潮或大或小，仍然慢慢在各城市鄉鎮延續著。

不過，朱紹盈對兒童閱讀的想法是，書，要在任何地方都能拿到、看到，尤其是在有孩子的地方，有小朋友，就要有書。

這是因為她在門診發現一個很普遍的現象，一個媽媽帶著孩子來看病，後頭往往跟著三、四個孩子；或者某個孩子住院，其他小孩也跟過來，在病房裡跑來跑去，因為父母在這裡照顧，他們也沒地方去只能一起來；或者，

攝影／彭薇勻

2011年9月28日，花蓮慈濟醫院和花蓮市圖書館合作，在兒童病房區及門診區設置「書香驛站」，讓兒童免費借閱書籍。左起：花蓮慈院王長禱護理長、花蓮兒童圖書館館長蔡淑香、花蓮市長夫人張美慧、花蓮慈院院長高瑞和、慈濟大學校長王本榮、小兒科朱紹盈醫師、賴佩君醫師。

攝影／楊國濱

2013年11月25日，花蓮慈院為配合教育部、文化局提倡閱讀風氣向下紮根，在兒童門診區舉辦「閱讀起步走」活動。兒童社區醫療科主任朱家祥醫師(右3)、朱紹盈醫師(右4)送上結緣品「閱讀禮袋」給家長。

等待看診的時間裡大人百無聊賴的發呆，小孩好奇東張西望或亂跑。既然如此，書，若能出現在會有孩子的地方，例如門診、病房區，讓大人小孩都容易取得，隨時可讀，應該可以發揮更大的功用。

所以她開始募集書籍，許多善心人士和單位也捐贈了不少新書或二手書籍，二〇一一年九月二十八日，正式在一五三門診推出「書香驛站」。

兒科第一五三診，正是朱紹盈的門診，為了要讓孩子隨時能看得到書，讓陪同的兄弟姊妹不必無聊的跑來跑去，這個「書香驛站」，有大人也有兒童書籍、雜誌類等，還有個小小閱讀遊戲室。

一臉疲憊的陳太太帶著一雙兒女在等待看診，她安心的看著孩子乖乖的在閱讀遊戲室裡看書。

「這樣很好啊，小朋友不會沒地方去，看書比較會靜下來，當然我也輕鬆多了。」

雖然顯得疲倦，她仍然很認眞的表達支持：「朱醫師看診很細心又解說得很清楚，現在還抽時間來做這些推動的事，這樣很不簡單。閱讀絕對是好事，像我女兒國小三年級，已經可以自己讀故事書了，每次來看診，等待時也不會無聊，她都會自己去找書來看。」

於是經過一五三門診，氣氛就會特別書香，有流連在書櫃前，一本又一本讀著的小朋友，有耐心的媽媽打開繪本讀給懷中的小寶寶聽……沒有不耐煩沒有紛雜，就是一派和諧的靜謐。

志工鄭雅蓉很認同推動門診書香的概念，就主動詢問牙科也可以有圖書驛站嗎？當然朱紹盈樂意之至，趕忙要再去籌劃募書。鄭雅蓉回家後，高高興興的跟身爲牙醫師的先生李彝邦講，李醫師一驚：「不是我們說好就好，這需要主任同意啊！」

她心想，當然需要主任同意，不過我要先說服你，你再去說服主任啊！「說服」的過程很短，其實大家都很支持閱讀這件事，只要有人能協助管理書籍，於是牙科門診也率先加入「書香驛站」的行列。

初期，門診的書採用自主式登錄單，民眾取書須塡寫在登錄單中，可以帶回家，也可以帶自己的書來交換閱覽。沒有嚴格的規範之下，有些書被帶走，有的會拿回來還，甚至會帶家裡用不到的書來贈閱，不過，當書愈來愈少，一直出去旅行的五千本書已太久沒有回來，代表這策略還要再修改。

「圖書館正在推動讓書去旅行，帶自己的書來交換，這方法雖然好，但要有個人一直在門診守著換書這件事，我們沒有足夠人力，後來把策略改成現場閱讀，現場歸還，不能再帶回家，情況就好多了。」常常需要補書的翁純瑩苦笑著說：「只是小朋友有時破壞力比較強，書雖然在，卻常常內頁都四分五裂，我們必須拿著膠帶一一補書，把書本再變回完整。」

對於這樣的情況，朱紹盈倒是很寬心。「募書當然很不容易也很辛苦，但我仍然想要相信大眾，也希望大家從中學會珍惜，所以一直不想用太過硬性規定的方式來推廣閱讀，願意讀就很好了。」

朱紹盈很清楚推廣的過程有許多變化，也許被拿走的書再也回不來，也許，書愈來愈少又必須重新再添購，但是有機會能培養、創造更多閱讀的機會，那才是她的目標。她不是要扣住書，扣住某種行為，而是走這條長遠的路時，本來就會有多變的因素，但是不能忘記初發的心念。

「推廣到現在，社區裡慢慢出現了一個個小小的閱讀站，光是這一點，就是一種改變，這才是最重要的，遠比書被拿走還要重要。」

引介了許多出版社捐贈圖書的德悅師父分享：「送了多少的書袋，又多少多少的書，都是因爲應該需要，當用則用，用在需要的地方，就對了。要相信，書本會是終身的好朋友，所謂書中自有黃金屋，不是讓人賺更多錢，而是讓人更懂得珍惜所擁有的，更豐富心靈的財富，只有這些才會伴隨你走遍天涯，所以閱讀是一件很幸福的事。而這個『福』不是你的我的，是大家的，是要分享的。」

除了花蓮慈濟醫院有門診書香驛站，德悅師父也推薦玉里慈濟醫院加入書香行列，希望好的模式可以被複製，從點到線到面，只要有人願意做，他們就會盡力協助。玉里慈院陸續在二樓、五樓設立書香驛站，一開始由朱紹盈幫忙募集圖書，其後院方總會自動整理並補書，志工媽媽淑媛特別開心，因爲看書和借書都很踴躍喔，甚至還有家長回來找書，原因是小朋友上回來看的歷史童話書沒看完，一直繫念著，家長只好特地來借書，偏偏這套又剛好被借走，來回幾次都沒借到。

朱紹盈知道了，馬上找自家小女兒商量，因爲家裡正好有這套書！小女兒一口答應出借，呵呵，從花蓮市交到志工媽媽手中，再送到玉里慈院，讓這位家長不再失望而回。

種下大樹的種子

門診一五三旁有個小小的閱讀遊戲室，每週四下午都會有志工媽媽在這裡說故事，三年多來，甚至還出現小粉絲，不是來看診，而是特地來聽故事。想起這些年來，他們心裡有說不完的故事。

「曾經遇過一個五歲，一個三歲被安置的受虐兒，身上都有香菸燙傷的疤痕，他們被照顧的家庭帶來看診，只要有來門診就一定會來看書，這麼大了卻不太會講話也很沒安全感。回診持續了大約半年後，有一次再來，會叫阿姨好，我們好驚訝好驚訝，淚水都要滑下來了，想著照顧他們的家庭，一定花了很多很多的愛心在裡面，幫孩子找回對這個世界的信任。而我們能做的，只是在他們到來時，靜靜陪伴，說個故事，期望盡可能從中傳遞愛和溫暖。」

「有位媽媽帶孩子來看診，等待的時間，就讓孩子在閱讀室裡看書，她倚在牆邊安心的睡著了。事後問她，才知道已經好幾天沒辦法好好睡了，但是在這裡，她卻顯得很安心。」

閱讀是一件不能勉強的事，有些小朋友拿了書，走進閱讀室就靠著牆安靜的看書；有的靜不下來，不停的跑來跑去，還翻筋斗。志工們笑著說，這些都沒關係，看書是一件有趣的事，不能強迫，等玩累了，再講故事給他聽就好。

志工李美華思索著：「和孩子的關係要涵養很久，就算願意閱讀的小朋友很少，還是要保持這樣的機會。」

志工張文媛很肯定：「不能因爲你想要他長成大樹，才去種下種子，我們在這裡，至少給一個友善的環境，在這環境中不會有壞的事物出現，只會接受到好的正向的故事，這就很重要了。」

李美華微微笑：「我們其實想的很簡單，就是上人說的：對的事，去做就對了。時間到了，該做什麼就去做。」

志工們抱持著能做多少就做多少的心情，不放棄，也不著急，認爲在哪個時間點和這些孩子有緣分，就會彼此相遇，就算他們將來也記不住這些志工媽媽的臉，就像我們可能也記不得小時候的老師們，但在記憶裡，總會記得曾相遇的這一段路。

「當孩子來到這裡，我們就說個故事給他們聽。」

門診一五三，只想陪孩子們走一段路，體會閱讀的樂趣。

閱讀禮袋 Bookstart

親子共讀的理念，朱紹盈本來希望在醫院裡的嬰兒室首先推廣，但因人手不足，父母在此階段又容易忙亂，還要向他們推動親子閱讀，這需要有專

攝影／吳惠晶

門診遊戲室

每週四的下午，志工們會在門診一五三旁的遊戲室，陪伴小朋友說故事。

職人員來解說比較適合。

於是她又想能不能透過衛生所施打疫苗時來推廣，這是父母和新生兒最容易出現的地方，但四方詢問之下還是沒有機會，所幸，壽豐鄉衛生所願意率先嘗試看看，高興之餘，她一方面募書，一方面也自掏腰包，整合一批適合的書籍送去，協助他們在候診區布置出閱讀角落，當父母帶著嬰幼兒來打疫苗的等待時間裡，就能首先接觸到親子閱讀的概念。

西元一九九二年，英國公益組織「圖書信託基金」發起了Bookstart運動，希望能透過免費贈書的方式，鼓勵父母能讓嬰幼兒儘早接觸書籍，擁有溫馨的早期閱讀經驗。這是全世界第一個專門爲嬰幼兒量身打造的大規模贈書活動。臺灣則由長期致力於推廣兒童閱讀的信誼基金會，在二〇〇六年，宣布開始推動「Bookstart 閱讀起步走」，讓臺灣與世界同步接軌。

朱紹盈很重視「Bookstart 閱讀起步走」，根據專家表示，零到三歲是養成孩子喜歡書、愛看書的關鍵年齡，甚至有研究證明：嬰幼兒閱讀是開啓孩子智慧、字詞運用，活化情緒中樞，建立親子關係的最佳途徑。她也興起想要發書給新生兒的想法，只要有機會，都要去做做看。

透過新象社區交流協會陳麗雲醫師的引介，終於獲得了來自花蓮縣文化局提供的一百份「閱讀禮袋」，當時這份禮袋裡有教育部專家推薦優質幼兒繪本兩本、父母導讀手冊一本、寶寶早期閱讀推薦書單一份、閱讀尋寶圖一份，只要來到預防注射門診的零到六歲的孩子，都有一份「閱讀禮袋」當見面禮。

一百份當然是不夠的，爲了延續這樣的美意，除了有許多志同道合朋友的支持，甚至有文具店主動贊助時尚的提袋，匯集更多的愛心，繼續發送給還沒有領到的新生兒寶寶。只是這樣的美意出現一個小插曲：

「有位家長因爲來領書袋時，已經發贈完畢，她很不開心的去投訴，」朱紹盈張大顯得無辜的眼睛。「遭到投訴，我們就必須寫報告書上呈，可能是我們沒有解釋清楚才造成誤會。」

這眞是個不小心的誤會，因爲文化局提供的早就發送完畢，其他則是由推廣團隊們再另外張羅的，是額外的心意，卻也是送完爲止，並非人人都有。

不過，這樣的事件也讓團隊們了解到，清楚的說明是很必要的。

雖然很希望在每一個衛生所發送學前書，讓每個來打疫苗的寶寶都可以領到閱讀書袋，不過相關單位認爲執行有困難，計劃就擱置了。只能針對有興趣配合的衛生所來進行。

裝滿愛的書一袋又一袋的去旅行了，傳遞書香和溫度，充滿風景和故事，就像開啓世界的窗戶，想像著在父母的懷裡聽著最美的搖籃曲，有爸爸媽媽溫柔的聲伴相伴，這眞是孩子一出生最棒的見面禮了。

朱紹盈期待所有的父母收到這份見面禮之後，和寶寶分享之後，也能再回頭將故事書捐出，讓這分愛孩子的心情，繼續在每個家庭旅行；讓這份祝福，傳遞到每個家庭、每個孩子的心裡。

彩繪閱讀藏寶圖

「兒童圖書館的設備很不錯，館長也很用心……」

「這家兒童書店好有特色，真是太溫暖了……」

「原來很多地方都適合做閱讀空間啊……」

二〇一一年，朱紹盈在夏天的熱度裡，讓太陽陪著她到處參訪和閱讀相關的地方，儘管常常滿頭大汗，陽光的熱情卻激勵了她大大的開心，因為，發現花蓮資源眞是多，像是圖書館設備齊全，許多閱讀地點、書局等等也都是安心的好空間，她心想，若能先讓家長和孩子知道資源在哪裡，何處有好地方可以快樂的和書在一起，那不是大大增加閱讀的意願嗎？

「當然，第一步呢，就是來製作一張花蓮閱讀地圖。」

朱紹盈喜滋滋的想得美……呵呵，就是要想得「美」，才有動力往前行。

想法醞釀成形到成眞，足足用去將近一年的時間。這期間包括慈濟大學及東華大學有許多學生都投入，還有志同道合的老師們及夥伴也共襄盛舉，他們實地走訪花蓮縣壽豐鄉以北的市立、鄉立兒童圖書館、兒童書店、繪本館、玩具圖書館以及提供閱讀空間的據點等，拍照並做文字記錄，最後匯整所有資料，選出最佳地點，再繪製成充滿童趣的地圖。

終於，二〇一二年夏天，趕在暑假前，朱紹盈自費出版了這張很有風格的花蓮縣北區的「閱讀尋寶圖」，希望孩子們在放假期間，可以從地圖中找到能夠閱讀的角落，不論是書店、圖書館、咖啡館甚至便利商店，只要有心想閱讀，就不怕找不到地方。

這份尋寶圖上包括十四個閱讀空間以及週邊景點、開放時間、交通資訊等介紹，最特別的還列上了該圖書館是否有說故事、玩具、親子活動、藏書豐富度和電影放映等，非常實用。

首刷印製六千份，很快就贈送完畢。雖然只是一張閱讀尋寶圖，卻是衆人費時費心共同完成的「壯舉」，特別希望偏遠鄉鎮的孩童能懂得尋找閱讀資源，培養閱讀的習慣。

「目前還缺乏的就是說故事的人才，我想喚起更多家長重視孩子的閱讀，更希望培養說故事達人，歡迎大家一起來做志工爸爸媽媽，因爲說故事和聽故事，都是很有趣的事喔！」朱紹盈很期待：「當然，家長能帶小朋友按圖尋寶，徜徉在書本裡的世界，那會讓這張尋寶圖更發揮它的意義。」

巴奇克聚落書坊

小豬醫師訪問記：

● 巴奇克是啥意思呢？

水源國小阿香老師問了問部落裡的耆老後，於是說：巴奇克是太魯閣族的語言，指的是生產很多蔬菜的地方～

● 巴奇克聚落書坊在哪？

小小館長家晴說：在水源村第二條大馬路邊，往山谷的方向一直走一直走，看到很多小孩出現的地方，就到了～

● 為什麼叫聚落呢？

人類文化研究專家許木柱副校長眨眨眼睛說：聚落就是比部落人口數少一點點的村落～嗯，也就是他們各自都有自己獨特的生活模式啊！

● 為什麼巴奇克聚落書坊要設典藏組與活動組組長呢？

小學六年級的采云和思琪認真的說：我們重視原住民相關書籍的閱讀，我們會設計很好玩的活動，努力吸引部落孩子們來借書～

● 為何雲雀小鳥師姑願意在禮拜天帶來好聽的故事呢？

這隻灰白灰白的小鳥快樂地說：我愛大自然，我愛說故事，我更愛孩子們呀～

● 為何秀林鄉圖書館的蔡大館長會害怕得皮皮挫呢？

因為她很擔心巴奇克聚落書坊的小館長會篡位～不過她還是用很勇敢的聲音說：我會常常來幫孩子們替換被翻壞了的故事書喔！

● 為何牧師娘有一天忘記了要來帶領小小寶寶們玩布書和洗澡書呢？

因為因為……那天……風和日麗～是喝喜酒的好日子～所以，忘得一乾二淨了，呵呵……呵呵

● 為什麼五歲的麗麗小朋友喜歡借身高快和她一樣高的大書呢？

她是帶著慧貞老師設計的閱讀護照第一個入關來借書的小寶貝。

臉上閃著光芒，她驕傲的說：因為我姐姐都會讀給我聽啊！

小豬醫師知道了

看到長虹老師帶著孩子們一槌一槌用心敲出「巴奇克聚落書坊」字樣的皮雕～

噢～原來大家擁有一位永遠會陪伴水源村孩子的好朋友——那就是巴奇克聚落書坊。

現在，輪到要訪問你了～請問你願意加入我們嗎？

我們「開幕」囉

「大哥哥，你現在是幾年級？」

「研究所一年級。」

「喔？」小朋友自然不懂得學制，又問：「那你要讀幾年呢？」

「嗯……順利的話是兩年啊！」

兩年？小朋友顯得很失望，天眞的問：「大哥哥你可以讀六年再畢業嗎？」

他一驚，問：「爲什麼？」

「這樣你就可以陪我久一點啊！」

當他們到部落裡陪伴與服務，面對小朋友眞誠的期待，讓人一時無語。

朱紹盈推廣閱讀的腳步來到水源部落。

在一九二七年的日治時期，太魯閣族人建立水源村落，據說當時這個地方「野菜青綠遍布」，故稱之爲「Pajiq」（巴奇克），又因爲這裡地處娑婆磕溪流域，是美崙溪的源頭之一，也是花蓮市的水源地，於是在一九五八年定名爲水源村。

慈濟基金會和花蓮縣秀林鄉水源村社區發展協會合作，推動「部落產業發展社區總體營造」，在二〇一三年六月，就協助水源部落設置大約二十五坪的教室空間，提供織布班、母語學習、國中生課業輔導、與中輟學生關懷等活動。德悅師父深入了解後，建議也規劃一個閱讀區域，並推薦朱紹盈將兒童閱讀的理念加進來，期待書香滿室，讓這間部落教室更加豐盈。

有了這個閱讀空間，大家都懷抱起「兒童朗朗讀書聲」的夢想，腦海裡紛紛有了許多想法，尤其水源國小桂香老師、林麗老師、部落教室負責人徐玉茹媽媽，水源國小家長會長朱秀玲等等，都大力支持推動兒童閱讀的計劃，當時大家想要將這個空間以河流之名稱爲「娑婆磕聚落書坊」，後來又決定沿用很有意思的舊地名「Pajiq」，正式命名爲「巴奇克聚落書坊」。

朱紹盈想起這段過程，微笑的說：「老師們覺得孩子平日在學校都還好，但假日在部落裡到處亂跑，擔心會養成不好的習慣或行爲。我們的閱讀課程就決定選在週末，一開始真的是聲勢浩大喔！」

學校老師特別選了六個愛讀書的小朋友，希望培育成閱讀種子，共同管理這令人期待的空間，他們可是此書坊的「開坊元老」，再加上遠見．天下文化教育基金會、信誼基金出版社、慈濟八德環保教育站等等，贊助相關書籍，讓這個聚落的小小圖書館一開始就包羅萬象，多采多姿。

大家陪著這些小小館長們一起看場地、構想空間、選書、討論進度，朱紹盈開心的說：

「這種高興眞是難以形容，能在部落裡有個閱讀空間，大人小孩想看書都很方便，不必跑個大老遠到別的地方，呵呵，整個暑假，我和許慧貞老師不知道跑了幾趟水源，看著書坊一點一滴慢慢形成，看著這麼多人全心全意的加入，感覺實在太棒了。」

趁著暑假這兩個月時間，非常努力之下，一群人很快的把「巴奇克聚落書坊」有模有樣的設置完成，開館日當天的精彩呈現，也是由小小館長們認眞籌劃的呢！

邀請函：

敬愛的阿姨、叔叔、哥哥、姐姐們：

歡迎來到巴奇克聚落書坊！

巴奇克聚落書坊是我們小朋友這個暑假辛辛苦苦建立的，為了讓水源的小朋友有一個閱讀的空間，我們努力工作了一個暑假，才成立這間巴奇克部落書坊。

誠摯的邀請您一起來享受閱讀的喜樂！

地點：水源村部落教室

巴奇克聚落書坊的小朋友敬上

一開始，聚落書坊的人氣眞正旺得讓人雀躍，經常可以看到許多小小的身影出現在這裡。朱紹盈特別感謝水源國小多位老師的大力相助，他們在暑假裡不知跑了多少趟水源部落，許多很棒的方法和策略都慢慢成形，希望空間可以由孩子們來展現創意，而不是由大人來主導。

行動剛好是在暑假期間，小朋友的熱忱有山那麼高，用最興奮的心最高的期待整理募來的一箱箱書籍。

朱紹盈細細數著：明義國小的許慧貞老師，在花蓮已經推動很久的兒童閱讀，是非常有行動力的人，像小飛俠一樣；東華大學的顧瑜君老師也慎重提供五味屋的經驗；林偉信老師本身在學校就推展過主題書展，建議在部落裡實行看看，大家也認爲可行，因爲主題書展很有系統性，不只主題明確，也分不同年級可閱讀的書，於是意雪老師熱心的提供書單，志工媽媽和大學生們都來認養、導讀；慈濟大學的何縕琪教授陪著衆人開會討論，還帶領一群大學生們加入……

巴奇克聚落書坊一派歡盛的景象，是這許許多多的熱忱和愛心成就起來的，朱紹盈形容他們是自己心中的巨人，因爲從這些巨人的肩膀上眺望出去，才能看得更遠。各項硬體大致上都架構完成，最重要的軟體當然也要同時進行。

朱紹盈認爲如果在地的力量能自己長出來，由部落裡的媽媽主動來說故事，尤其是用母語跟小朋友講部落的歷史，那一定是更有意義更加精彩可期。

所以在二〇一三年十一月，特別為水源部落舉辦說故事的訓練，藉由專家的分享，涵養說一個好聽的故事之能力。當天有三十位志工媽媽參加，在蔡清妹館長、楊美美老師、卓豫萍老師、平來英師母的帶動之下，共同體驗說故事的有趣過程。

看到這麼多人的用心和努力，都是為了陪伴兒童的閱讀路，朱紹盈打從內心的感動，她思索著：

「臺灣推廣閱讀觀念風氣已經有十多年，無奈城鄉差距還是存在的，雖然很多研究已經證實，從小就生活在良好閱讀環境中的兒童，將來的讀寫能力會比較好，但偏鄉的親子共讀觀念很明顯仍然陌生，一方面是資源不足，一方面是家長本身沒有閱讀的習慣啊！」

沒有這樣的習慣，能不能培養？雖然不同族群的生活方式各不相同，但她還是希望能藉由走入偏鄉親身推廣，慢慢建立親子共讀的概念，讓所有的兒童都能均等的享受這樣的幸福。

圖／朱紹盈提供

每次到聚落書坊，不論是說故事還是陪小朋友畫畫，朱紹盈都樂在其中。

除蝨特攻隊

「哇……找到了。」當第一隻頭蝨被發現時，有位醫學生一直拿著不放，還仔細研究，因爲他從來沒看過頭蝨的「本尊」。

頭蝨是一種喜歡溫暖環境的蟲類，會躲避光線，爬行速度快，並以吸血爲食，通常寄生在人體頭髮中，就算離開人體，成蟲還可存活三天，蟲卵則可存活十天左右。一般在都會地區已經很少發現，沒想到在偏遠的鄉村裡，依然是個叫人擔憂的問題。

明明是到水源部落推動兒童閱讀的朱紹盈，在接觸孩子們的時候發現有頭蝨現象，醫療是她的專業，她二話不說，要連孩子們的健康一起照顧。

慈濟基金會曾經結合社區以及專業醫師，分別到校園及社區去宣導及防治頭蝨問題，效果相當不錯，朱紹盈特別向慈善志業發展處呂芳川主任請求協助，希望也能複製其他地區成功的經驗，協助水源部落辦理健康衛教及頭蝨投藥。

朱紹盈還鼓勵慈濟大學的醫學生們，把握機會投入服務學習的行列，把在學校學到的知識，充份應用在實際生活上。家醫科邱雲柯醫師也特別親身教導，並帶領醫學生們做好行前演練。

二〇一三年十二月，一群人共二十二位，在水源村威朗教會舉辦「除蝨特攻隊」，當日清早飄著微微的細雨，幸好溫度適中，大家依然熱情來到。從篩檢、洗頭、除蝨、吹乾頭髮、衛教、帶動唱歌跳舞……這群醫學生們可是多才多藝呢！小朋友信賴他們，一個個都乖乖聽話，幸好檢查結果還算讓人安心，一共只發現三位小朋友有頭蝨。開學之後再接續檢查，沒再發現有頭蝨的現象。要閱讀，也要有個讓人安心的環境才行。朱紹盈很感謝這群醫學生組成的除蝨特攻隊，並暗暗決定，將來最好能不定時來做篩檢、做衛教，鼓勵閱讀，也要照護孩子們的健康。

週六早晨我們在一起

陽光灑落一地
我和好朋友約好到巴奇克聚落書坊去讀故事書
狗狗也要當跟屁蟲
牠根本不會看書也要跟著來

看著書本裡藍藍的天
想像著我們三個都有一雙翅膀
在天空中飛翔

我們看到了，一隻會噴火的恐龍
聞到了，一朵漂亮的花香
仰望了，一棵超大的綠樹

逛完了，一座超級奇妙的花園
也和，水裡的魚兒一起拜訪了很多水草和小蝦米
因為很緊張，只讀了一半小紅帽的冒險故事
但是，
凝視著，那一片藍藍的天和棉花一樣的雲朵
唉～
好享受和好朋友一起看故事書的時刻啊！

朱紹盈／在週六的早晨

「您覺得我是男生還是女生？」一頭帥氣短髮的老大，忽然問。

志工媽媽微笑的說：「妳是女生啊！」

她似乎有些洩氣，頗不甘心：「可是，我覺得自己是男生，我希望自己是男生。」

一早，帥氣老大就帶著五個弟弟妹妹來到聚落書坊看書，她比大家還要

忙，所有的時間都在照顧他們。

「我妹妹想要畫畫。」

「我妹妹手手痛痛，我先幫她貼OK繃。」

「我弟弟便便了……我先帶他回去換褲子。」

她的媽媽生了五個女兒後，總算在第六個生了小男孩，許多年來，帥氣老大一直擔負著照顧妹妹們的責任，內心隱隱感受到大人的壓力和期望，如果自己是男生，父母一定很高興，她總是盡力把事情做好，衣著行爲舉止都非常男性化，甚至還爲自己取了男生的名字。一直到弟弟的出生，父母的開心，更讓她強烈感覺當男生比較好。

志工媽媽們心疼的看著她忙裡忙外，帥氣老大也不過才讀小學六年級，卻儼然像個媽媽在照顧小孩，忽視自己的需求。但志工們可沒有忽視，知道她愛畫畫，特地準備許多畫冊，都是她最喜歡的人物。

每週六早晨是聚落書坊的說故事時間，志工爸爸媽媽們會輪流來陪伴小朋友，但他們發現，有時準備好的內容會派不上用場，總是要隨機應變，因

攝影／吳惠晶

巴奇克週末說故事

巴奇克聚落書坊開幕後，在週六早上的說故事時間，總有許多小朋友來尋寶，挑了一本喜歡的書，就很自在的坐下來看書。當志工媽媽說完故事後，喜歡閱讀到閱讀室，喜歡畫畫的留在教室，裡裡外外都是輕鬆開心的笑容。

爲孩子們啊，眞是太活潑啦！

「有一次我準備了幻燈片，還有五、六本親情主題的書……小朋友三三兩兩的來，無法同時講，無法等待，變成來一個講一個，後來終於明白這裡沒有模式，連有時準備好的內容，常常無用武之地。」朱紹盈想起來還笑哈哈，面對這樣的情況，只能投降。「大部分的小朋友不愛看書，喜歡動手，每個人拿了一張紙和筆，趴在地上就開始畫畫……講到這個我要很實在的說，吸引小孩必須很有能力，我沒有那麼厲害耶！不過，有什麼關係，想畫畫就來畫，想看書就來講故事，這裡是閱讀空間，不是教室，一切都可以很自在。」

部落的小朋友們，不但喜歡畫畫，對於色彩的駕馭力尤其豐盛，不論是自行創作還是純粹爲圖案上色，一種沒有規則之下的自由，常常是奔放又流暢，朱紹盈一連聲的讚歎。

特別想要在偏鄉推廣閱讀，又知道這裡的小朋友習慣活潑，較難以安靜下來，朱紹盈和志工們展現「兵來將擋，水來土掩」的策略，不論是十歲揹著一歲來、小姐妹抱著心愛的狗狗來、好動到整場跑來跑去的小男孩……配合小朋友的特性，每位志工都是極盡所能的搬出比十八般武藝還要多的方法，目的無他，把握任何一個機會，任何一個可能性，是默默陪伴也好，是深入書海也好，都是最好。

力量長不出來

原來預定的目標是推動親子閱讀時間，才開始沒多久問題就來了，例如：大人覺得「小孩子去讀書很好啦，爲什麼我也要去？我沒空啦！」再者，本是希望由當地的媽媽們，用母語來講故事，效果會更好，卻是更大的困難，有活動力的媽媽們通常都很忙，很少在部落裡，儘管參加了說故事的訓練，本身也有熱忱，不過，「我很忙咧，活動很多，沒辦法啦！」

只好退而求其次，希望小朋友能借書回家去看。事實上，小朋友對於玩樂還是比聽故事要有興趣多了。

朱紹盈有些苦笑：「雖然本來就有心理準備，卻沒想到大人、小孩的熱情只維持了不到半年！」

所有的努力，所有的資源，所有的……能做的都盡力了，當初的雄心萬丈，遼闊夢想，逐漸消失，培訓了許多當地志工媽媽來說故事，是希望善用當地長出的力量，由大人們和小朋友一起參與，後來，志工媽媽們一個個不見了，孩子們也漸漸沒出現。

大家很努力溝通，一個個認眞詢問，卻不再有下文，變成要自己去找志工，再努力去找孩子回來。

探究其原因，例如社區活動很多，不論大人或小孩好像都很忙，雖然理念上很認同，實際執行就有困難了；再者，原來的小小館長們升上國中之後，課業較多，也無暇顧及聚落書坊的活動。

何縕琪教授不無感慨：「我們期望由小朋友作主的這件事情，終究無法眞正被實踐，尤其沒有一個人是可以從頭至尾都在這個教室裡固定陪伴的，並非像已定型的圖書館，會有圖書館員在裡面維持並負責，純然是一群有愛心的人想來做這件事，會變成這樣的情況，也讓我們有反省的機會。」

朱紹盈從不想放棄：「部落經營眞正要能開出花來，需要的，其實是部落的力量自己長出來，外來的幫助終究難以深耕，除非有人要永遠留守在當地。這樣的過程給我很大的警惕，我必須看到眞實的狀態，要很有耐性的慢慢等待，但這個等要怎麼等下去，就是考驗自己的智慧了，也許從等待的過程中又想到不同的策略。」

儘管結果不如預期，他們還是會持續努力，希望能耕耘出當地的力量。因爲朱紹盈認爲，若是家庭環境良好，兒童或許能和父母到世界各地旅遊，實地增廣見聞；若是經濟弱勢的家庭，兒童很難有這樣的機會。

「閱讀可以認識全世界。」朱紹盈再三強調：「不必羨慕富有人家，只要在生日時，在任何時刻，不是送玩具而是送一本書，長久累積下來，孩子就擁有了未來。」

所謂秀才不出門，能知天下事，這樣的「知」，即是從書中受啓發的成果。

即使遇到寒暑假的週末說故事時間，要去街上撈小孩，才有人來聽故事；即使來的小朋友寥寥可數，大家卻仍然堅持著每週六早上出現在聚落書坊。

「至少，讓這裡的人知道，在這個時間我們始終有人在，想閱讀也好，想找人談談也好，是一個溫暖而安心的地方。」

朱紹盈補充說：「說故事之外，還有兒童的心理、健康衛教、陪伴等等，推廣閱讀雖然重要，但這也是一個和大家結好緣的機會。」

不會因爲別人說沒有成效就算了，朱紹盈一直知道本來就不容易，但有努力就有機會，耐心需要，時間也需要。只有一個小朋友來看書嗎？那麼一點機會也不放棄，對，只有一個，她也要繼續。

在這樣的堅持之下，雖然在地力量尚未耕耘出來，但是衆多志工爸爸媽媽依然在每週末來到巴奇克聚落書坊，說故事也好，畫畫也好，一路的陪伴到如今，每次至少都有將近二十位小朋友走進書坊。

有一次，擅長帶動的志工媽媽緯華講完了畫家米羅的故事，接著就引導大家學習米羅的畫風來作畫，孩子們細緻獨特的作品不但精彩，其中一位揮灑俐落的小女孩，問她畫的是什麼？她理所當然的回答：「我在畫米羅的阿公啊！」

頓時衆人哈哈大笑，孩子的思維不只是米羅，甚至跳到了阿公的想像。就是這樣的可愛活潑，讓衆人一次又一次心甘情願的撥出時間去陪伴。

晚間課輔的交會時光

除了週末的說故事時間，社區也提出另一個需求，希望能增加課業輔導。朱紹盈很認同：「如果能將兒童的課業快速拉到一個水準，我相信輟學率會下降，因爲功課不好會沒有信心，一輟學又會衍生許多社會問題。」

決定增加課業輔導之後，就將每週四晚上訂爲課輔與閱讀日，何縕琪教授在忙碌的工作之餘，仍然帶著大學生志工一力承擔起課輔的任務，讓朱紹盈相當敬佩她帶動的能力和用心的程度。

「初期沒有幾隻小貓來，我們就和學生們挨家挨戶去家訪，希望家長鼓勵孩子來參加，後來是年紀較大的主動帶著弟弟妹妹來，這又產生一個問題，年紀相差很多，總不能用同樣的方式，只好把年齡層區分開來，有的去另一區課輔，有的來聽故事，可是……來的小朋友年紀愈來愈小。」何縕琪很傷腦筋。

大凡好事成就，總不是單方面就可以完成，水源國小有位導師眞的好期盼學生晚上有地方繼續讀書，或者有人陪伴，因爲知道部落裡大人喝酒的情況，怕學生耳濡目染，就用各種方法鼓勵小朋友要來聚落教室。老師的「叮嚀」很有效益，果然她那一班的學生們出席最踴躍。

結果，不是沒有人來，反而是來的小朋友太多，有時一來就三、四十個，讓衆人有些些無力招架，一方面是空間太小，人數一多就很擁擠，一方面是年齡不一，課程的規劃特別傷腦筋。

「但我們已經承諾了晚間的課輔時間，只好盡力安排。」何縕琪笑著說：「總之，見招拆招，原訂的計劃必須不停的依現況做改變，也是個大挑戰。」

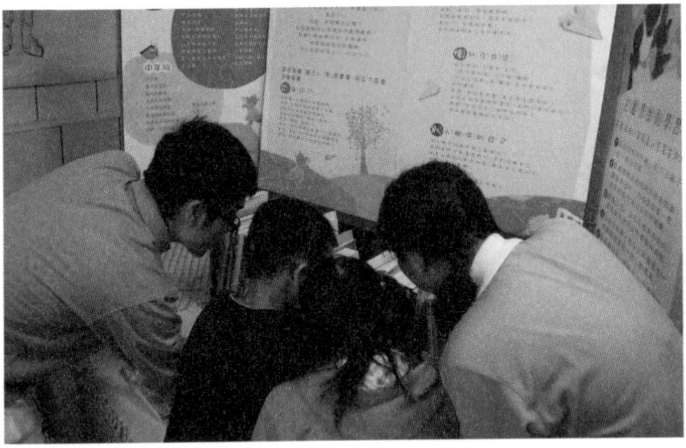

攝影／姚欣妤

大哥哥大姊姊陪小朋友挑選最適合自己的書。

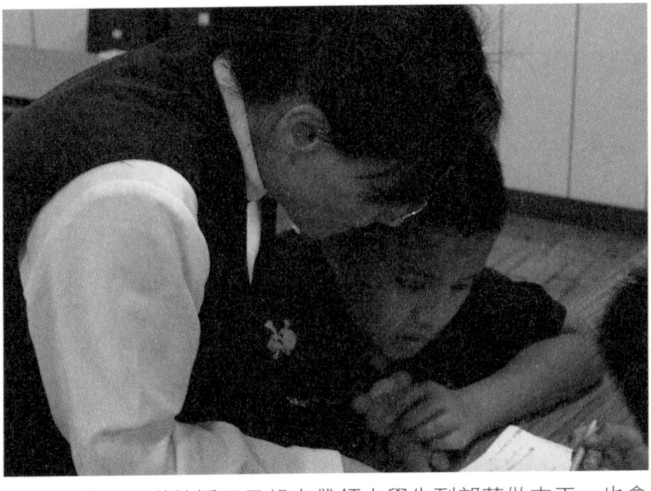

攝影／賴郁文

慈濟大學何縕琪教授不只親自帶領大學生到部落做志工，也會陪伴學童課業輔導。

課輔的過程中，部落孩子的反應有時也讓衆人感觸良多。

例如慈濟大學兒家系的育華本身數學不錯，一向樂意幫忙小朋友解決頭痛的算數問題，有一次遇到國中生小傑只是盯著作業看，不寫，他奇怪的問：

「怎麼不寫呢？試試看嘛，如果不會，我幫你分析啊！」

小傑竟然嘆氣了。「寫了也沒用。」

「爲什麼這麼說？」

「老師也不會相信我會寫。」

「怎麼會呢？」

「有一次考試，我考得還不錯，老師就說，你怎麼可能會？一定是作弊對不對？」小傑沮喪的說：「所以我覺得努力也沒有用。」

育華一聽心裡好難過，大人必須時時記得爲自己的行爲及語言負責任，否則在孩子的成長過程裡，如此輕易就刺傷他們，絕對會影響其成長的心靈。他也藉此過程提醒自己，日後有機會成爲老師，絕不能以偏概全或種種原因傷害到小朋友的自尊。

何縕琪特別感謝這些大學生們踴躍來當志工，除了兒童發展與家庭教育學系、社工系的大學生們，還有海外志工團，他們暑假要去四川服務，正好可以先到社區培養服務經驗，除此之外，學生也會找自己的同學一起加入，甚至連東華大學的學生也會拉進來。而何縕琪始終一路相陪，有時學生們很忙，趕來聚落書坊時還沒吃晚餐，等忙完了也都九點多，這時，何縕琪就會食輪轉法輪，帶他們去吃點心，除了關心他們在服務過程的心靈成長，也謝謝大家無所求的來當志工。

小男孩隱身的善良

有位小朋友行爲較偏差，一看就覺得是來鬧事的，他總會想要武裝成自己是老大，一進教室就會說：「我要打人喔！」慈濟大學祕書處的李家萓，第一次來參與晚間課輔時就遇見這名叫做阿賢的小男孩。「有一次還看見部落的老人家拿竹子要打他，我們趕緊勸阻，阿公就說：『這小孩子偷我東西，跟他家人講，他們叫我直接打他。』老人家還要打，阿賢拚命想要躲在我們身後。」

就因爲這樣，李家萓看到了這小男孩背後的無助，透過多次的關心，了解阿賢的背景：家境不好，怕被欺負，故意裝老大保護自己又想引起注意力，又沒有大人適切的引導，才會有種種脫序行爲。

有一天課輔結束後，李家萓特別陪他慢慢走回家，路中央有一隻被壓扁的青蛙，阿賢彎下腰把青蛙撿起來，這時，以他平時調皮搗蛋又帶著暴力的行象，讓李家萓心裡一驚，以爲他想要「蹂躪」青蛙的屍體，沒想到，他只是默默的拿到路邊放下來又繼續往前走。

她輕輕的問：「爲什麼要撿到路邊呢？」

阿賢單純的回答：「我不喜歡看到青蛙被壓得扁扁的，我會難過。」

第一次發現阿賢在「壞形象」之下的善良，李家萓爲孩子本性該有的善念而感到歡喜。

在推動閱讀時，大家還設立「閱讀好獎」來吸引小朋友，其中最大的禮物是朱紹盈自掏腰包提供的腳踏車，只要讀滿一百本書，就能免費獲贈。

阿賢非常渴望能擁有一台腳踏車，一到教室，難得的安靜，而且眼神專注拚命看書，本來是很心浮氣躁的個性，瞬間能安靜下來，讓大家忍不住要豎起大姆指。他是爲了腳踏車，所以看書看得很快，不過，要獲得獎品可沒如此簡單，每讀完一本書，還必須講出內容給大人聽才算數。

何縕琪非常肯定的說：「就算是五分鐘就看完一本書，至少在那五分鐘之內，他非常專注，靜下來了。在獎勵方法下，的確是可以看到效果的，不管是爲了腳踏車，還是其他，至少，能吸引小朋友有讓自己安靜下來讀一本書的機會，我相信這樣的過程都會有所幫助的。」

可惜在期限之內，他還是沒有看完一百本書。不過，讓人開心的是，阿賢從習慣性破壞到願意遵守秩序，已經能耐心坐在教室裡，這對他本身就是個很大的突破和改變。大家都期待下一次的活動裡，阿賢能再次「挑戰」浸潤書海，順利獲得他想要的腳踏車，因爲啊，這台腳踏車到現在還安放在教室裡等待有緣人呢！

學期末的再見

還不到六點，三、四十位小朋友就在聚落書坊的門口站著等，一個個小小臉蛋仰著頭，嘴角笑著，黑碌碌的眼睛看著，等到大家出現了，那歡呼聲立刻夾雜著喳喳吱吱的快樂和興奮。

今天，是學期末的最後一堂課，大學生們策劃了一個小小活動來圓滿這學期，朱紹盈、何縕琪，還有許多志工媽媽們也都來陪伴。

說故事、音樂帶動、小組共繪大海報……小朋友們樂不可支，卻樂過了頭，整個空間比菜市場還要熱鬧，眼看大哥哥大姊姊們聲嘶力竭，就要制不住這群小毛頭啦，何縕琪四平八穩接過麥克風，猶如彈指拂清風，幾句話就讓小朋友安靜了下來，只剩下小小的躁動，她微笑掃視，平平遞出一句話：

攝影／賴郁文

在聚落書坊的小朋友心中，大哥哥大姊姊的陪伴是他們最期待的時刻，下課之後，小朋友還黏著大哥哥不放，於是這位大學生羅毅就乾脆背著他走回家。

「若是還不能遵守規矩的，就要請你回家喔！」

一名小男孩還有喧鬧，何縕琪毫不留情的說：「抱歉，你回家吧！大哥哥送他一下。」

台下那一個個小小臉蛋上的眼睛通通盯著，那一個個小小臉蛋上的嘴巴通通閉著，很認真的明白：老師是說真的。

「你們想要留下來，還是回家？」

「留下來。」小朋友們的童音裡充滿期望。

「應該怎麼做？」

「安靜。」「接受老師的教導……」

不愧是在教育界幾十載，何縕琪一出手，才幾分鐘就恢復了現場的秩序，一旁負責主持的大學生忍不住投去欽羨的眼光，默默接回麥克風，繼續帶活動。

部落的孩子對色彩非常喜愛也很有想像力，在共繪大海報的時間裡，每個人都可以挑選一角塗上任何自己想畫的一切，大大小小的孩子們所使用的色彩都很豐富，下筆很大膽，不論是簡單的還是複雜的，幾乎都是一氣呵成，不過有趣的是，雖然沒有限定主題，「閱讀」這件事，出現在畫中的機率卻是最高。

四歲的小怡首先畫了個小人兒，旁邊加上一個正方形，完成。問她畫些什麼？她理直氣壯的回答：「我在看書啊！」原來小人兒是她，正方形是一本書。

五歲的小琪畫筆拉出一個大人，一個小孩手上打開一本書，這書的封面還拜託姊姊幫忙寫了兩個字「阿嬤」。她有點兒不好意思的說：「我要唸書給阿嬤聽啊！」

八歲的阿弘落筆很俐落又生動，先畫了一個小孩在看書，接著畫兩個小孩正要走過來看書，背後是燦爛的彩虹。

晚上的活動皆由何縕琪帶領大學生們進行，朱紹盈默默在一旁幫忙紀錄每一個美好的時刻，聽到特別愛看書的孩子，立刻高興的湊過去，拍下孩子專注的神情，彷彿這樣的兒童閱讀世界，讓她非常心滿意足。

圓緣活動的最後，請大家享用完全新鮮水果做的冰淇淋，還趁此機會介紹健康概念，什麼是有色素的，無色素的又長什麼樣子……正當大家異常表現乖巧、眼睛瞪大大流口水、排隊要領冰淇淋時，兩歲的小萱無視冰淇淋的誘惑，只拉著大哥哥的手往圖書室走，用甜甜的童音說是想要看書書。

志工鄭雅蓉提到這孩子，猶不免心疼。小萱剛來時很怕生，只在門口徘徊不敢進來，又是一身蓬頭垢面，經過半個月小心翼翼的互動，才願意進來聽故事。有一次辦理鼓勵閱讀的獎品抽獎時，正好抽到她的名字，當眾人準備把禮物送到她面前，小小年紀的她竟然害怕得逃回家去了。

大家一愣，幸好其他小朋友知道她家住哪裡，擔心她因此不敢再來，眾人決定帶著禮物親自送到家裡去，也認識一下家長。

門口有幾位大人在喝酒，志工媽媽問：

「請問小萱的爸爸媽媽在嗎？」

「在裡面啦！」

走進去再問：「請問是小萱的爸爸嗎？」

滿身酒氣的大人說：「我是暫時的爸爸啦！」

原來她的父母長年不在家，將她託給親戚照顧，志工們說明來意，親手把禮物送給小萱，這孩子才害羞的收下來。從此後，每當看見這孩子，大家總要多加關懷，常常陪著她閱讀、說故事，三個月多來，才兩歲的她愛上了聽故事，只要一來就抱著書本不放，所以此時，她寧可不吃冰淇淋也要聽故事。

正當小朋友們興奮的享受冰淇淋時，剛才被帶出教室的小男孩其實一直不肯回家，站在門外悄悄張望著，等到大家開始排隊領冰淇淋，就偷偷問一旁的大姊姊，他可不可以吃？得到允許後，非常高興的跟著大家排隊，等拿到冰淇淋，又乖巧的站到教室外面吃。

我跟了出去，蹲在他身邊輕聲問：「被老師請出去，會不會很難過？」

「很難過。」

「你喜歡閱讀嗎？」

小男孩很誠實的說：「不喜歡。」

「那怎麼不回家，還在這裡等呢？」

「我想跟大家在一起。」

好單純的心念，好直白的心思。這時，始終默默關注著他的何縕琪走了過來摸摸他的頭。

「老師沒有討厭你，只是要管理秩序，如果你能遵守規矩，就跟老師一起進去好嗎？我們還是很喜歡你喔！」

小男孩非常高興，飛快的點頭，何縕琪牽起他的手一起走回教室裡。

夜幕中，大手牽著小手的背影彷彿帶著星星般的光芒，閃著交會時的動人晶亮，這樣的背影，連冰淇淋都要溫暖的融化了吧！

不論一週只去一次的課輔，會有多大的效果，何縕琪總是相信，陪伴本身就是一種力量，這是無法用功效來計算的。

「如果要問，去了六次或者十二次，有哪一位孩子因爲你而改變了，這

攝影/朱紹盈

部落的孩子對色彩非常喜愛也很有想像力，共繪大海報時，孩子們所使用的色彩都很豐富。

哪裡是教育的用意？所謂成果，絕對不是用尺能輕易丈量的，但是這種體會與感受，是雙向的，是小朋友與大學生們一起在成長，不論其結果是什麼，對所有參與的人而言，過程永遠是最珍貴的。」

最珍貴的，就是這一份心意。

每一個時間走過，都會產生不同的變遷，水源部落也是，不管是何種變遷，不論推廣的過程或結果如何，志工們的心意都不會改變，正如上人所叮嚀：「良善的教育要由家庭、教育單位以及社會大眾共同合心推動，才有力量。」把握機會的陪伴，就是一種力量。

海厝的那群孩子

陰霾已久的天空，懷著一顆期待的心情，我到了海厝，準備去認識一群來自新社、豐濱、水璉的精靈們！他們分別來自噶瑪蘭族和阿美族，當中也有少數的布農族和漢族的孩子。多元文化的成長背景和我家的小孩起步就不一樣了！

八點多一些，一群開開心心的孩子們從遊覽車上蹦蹦地跳下來，他們出現了，烏溜溜的眼睛咕嚕咕嚕轉，探頭探腦地，天真又好奇的，極為活潑！

原本只有海風與呼嘯而過的車聲，淌入了孩子們的吵鬧聲後，說話真的要變得很「嘶吼」了。

快速的身體健康檢查，靠的是妍芝的引導、曉婷的指揮若定與快速就定位，十四位優秀的醫學生和醫技系的學生，各自發揮了問診、身體檢查與衛教的技巧，兩個小時內一共看完五十六個孩子，真有效率！有點值得注意的是博欽利用與孩子互動的技巧在篩檢色盲時，問出一個孩子在家裡其實是電視餵大的，而且孩子看的電視節目也沒有經過篩選，真令人擔心啊！

也有一些經典的畫面印在我的腦海裡：如，醫學生斗元被五個小孩「聯合」欺負，他們靠叫聲就贏過他了；爽哥才大學五年級，和文欣、雋蒔、瑋廷一起做的皮膚與頭髮檢查，真是完整得不比主治醫師差耶，三顆頭蝨蛋他們也找得到。

百分之九十八的小孩都有蛀牙，蛀牙第一名是個小男生，頭形像顆鴨蛋很漂亮，他才四歲，就已經蛀垮了十四顆，本都快沒了，笑容裡看見的都是黑色金剛石，他的咀嚼怎麼辦呢？恆久齒還沒長出來就已經皮皮挫了！

孩子在做檢查時一點也不怕我們，我想因為我們都是笑咪咪的吧！

海浪似乎不小，不影響太平洋的美麗，陽光也很溫和，舒服得想躺到沙灘上，看著孩子們天真的容顏，背後浮現的卻是一群群落後在主流社會的影子；不見得不好，前面有兩條路，他們一開始就被註定，要走另外一條路嗎？

女兒的皮膚因對塵蟎與海鮮（有殼的）過敏，常抓得面目全非，爸爸心疼得不得了，一直提醒我這個兒科醫師似乎沒有提供一個奏效的治療策略。

這裡的小孩看到的是則是頭蝨、疥瘡、跳蚤、各種蟲子咬傷的兩隻腳，膿疱痂、紅豆冰，指甲內填滿了污垢，割傷、抓傷、刺傷的疤痕不計其數。我好像也沒有什麼很奏效的策略。

環境若不改善，蟲子們會永遠獲得勝利！一樣的是「蟲蟲危機」，不一樣的是，有沒有父母在身邊給予的呵護啊！

想到這裡，我有點難過～

朱紹盈／遇見海厝的孩子

紛亂裡的寧靜

剪刀石頭布，兩個剪刀變成小白兔；兩個石頭變成愛哭包；一個剪刀，一個石頭加在一起變成愛玩的小蝸牛……。帶動的老師俐落的雙手不停變化，小朋友睜大眼睛玩得津津有味。

這裡就是被稱爲假日學校的海厝，位於鹽寮海邊，由於東海岸沿線有許多家長必須外出打工謀生，讓當地隔代教養或單親家庭的情況日益嚴重，幾位退休老師因心志相同組成課輔團隊，除了免費課輔，也希望能付出更多的愛與關懷給這裡的孩子們。

他們向政府申請經費，每週六一大早，沿著海岸線的水璉部落到豐濱鄉，一一把小朋友接到海厝來，吃早餐、上課、活動，下午再一一送回去，人數最多時有將近一百個孩子來到這裡。

海厝有好幾個教室，每一間教室之間只有很簡單的隔板，這裡的隔板隔開了不同年級的兒童，這裡的兒童分別在上音樂課、英文課、數學課……這裡，很吵很吵。這些吵雜，不只因爲是開放型教室，還因爲臨近馬路，種種聲音再加上來來往往的車聲，就如海風一樣四面八方衝進教室裡，張牙舞爪的盤旋著，沒有任何一個角落是安靜的。

即使這種開放式的教室，所有聲音都串聯飄浮在一起而顯得吵雜，但每位老師仍賣力的想要把知識傳遞下去。

二〇一二年，爲了要找到小朋友們會出現的地方，德悅師父和朱紹盈尋尋覓覓之下問到了海厝這個假日學校，初期，負責的老師們也很願意將閱讀加入課程中，在朱紹盈和團隊們補充一些書籍之後，附近學校的師生正好也加入假日學校幫忙課輔或者說故事，既然資源已經足夠，朱紹盈就沒有再額外投入人力說故事。

但是朱紹盈在想一種可能性：建造更爲舒適的環境讓孩子們安心讀書。正好在雜誌裡發現一位義務建築師簡志明，她愼重的寫信解說海厝的景況，並邀請他加入重新建置、規劃藍圖的行列。這位走遍許多角落，非常有理念的建築師被感動了，不但親自來勘查場地，更預計在臨海的方向打造更適合

攝影／廖家麟

為了海厝這群孩子，朱紹盈總是盡力幫忙尋找資源，有時為孩子們講故事，有時只是在一旁陪伴關懷。

的閱讀空間。

可惜，後來種種因緣仍然不俱足，就算規劃好了還是無法動工，讓改善空間這件事不了了之。

儘管衆人都有些失望，儘管每次到海厝，就憂心孩子們處在這種噪音之下要如何學習，經歷了這個過程，又讓朱紹盈學會反思，學會接受和放下，無法有更好的環境是事實，但如果一天到晚去注意好吵的環境，反而是一種抵抗。

曾經也有小朋友跟她說：「老師，這裡這麼吵，怎麼看書啊？」

原來孩子們也和大人一樣，走上了同樣的感受，她再度反省，既然事實就是如此，暫時改變不了，不如接受現況，事實上，即使在很吵雜的環境裡，試著專注眼前，還是可以溝通及做完應做的事情。

凡事有其因緣，在紛亂中看見寧靜，也是一種學習。

串連義診在海之角

「我是個退休老師，長久的教育生涯下來，可能會比較制式化，也比較重視學業，但朱醫師看得面很廣，幾乎是全部都照顧到了，要怎麼說，她實在很細心很了不起啊……這不正像是在照顧自己的孩子一樣嗎？」

總是帶著慈祥笑容的謝淑美老師，在海厝已耕耘許久，每次講到朱紹盈，眼神就發亮：「她的到來，對海厝的影響相當大。不只是送來許多書籍，還有大大小小的問題，她全部都關照著，就連噪音，她也要幫忙想辦法解決。雖然事情無法如預期，朱醫師卻說，她仍然會繼續支持，努力去找可用的資源。這份承諾至今，是啊，就是一直到現在，關懷永遠在，有好多資源都是她找來的啊！」

淑美老師細細數著，一件一件說著，硬體之外，她認為朱紹盈對孩子們的身心靈是整體的關懷，連太瘦太胖都要關照，包括所有孩子的早餐是她協助張羅的，她認為一定要安心享用早餐，有體力有精神有營養，才能好好面對一天的學習；發現有多位孩子在家常受傷，不但提醒孩子注意居家安全，也讓海厝準備醫藥箱，時時照顧孩子的傷口；看到生活的小習慣及衛生問題，建議每班要有剪指甲刀，洗手檯要放置肥皂；學生們頭髮太長難以整理或太過凌亂，就請志工來幫忙義剪；遇到需要長期諮商輔導的孩子，就聯繫適合的資源與人員來陪伴……

每一個細微的關照，都讓淑美老師打從心裡佩服，其中最盛大的動員就是義診。從第一次朱紹盈帶二十位醫學生，到海厝為孩子們做體位與健康狀態篩檢，此後，是一次又一次的衛教與人醫會義診。

「東海岸的小朋友也可以說很有福氣，學業上有這麼多老師在陪伴，健康上有這麼多人在關心著，這不是三言兩語可以說得完的感恩。」

淑美老師除了一直說感恩，還格外敬佩朱紹盈帶領醫學生的方法。

每學期都會有醫學生來海厝做衛教，他們會在事前就主動把規劃的活動內容跟朱紹盈以及海厝的老師們討論，再依需求做修正。看到這群年輕的未來醫師，學習從資料中找出重要迫切的問題，規劃下一步的解決方案；在與小朋友密切互動的歡笑與遊戲中，不著痕跡傳達保健與醫學的知識……淑美老師眞的感覺很有希望，這群未來的醫師不但令人激賞，她也相信，未來他們都會成爲好醫生。

憑著醫生的專業本能，在推廣閱讀之外，朱紹盈很快就發現海厝學生們的健康問題，二〇一二年三月，朱紹盈先帶領慈濟大學醫學生爲小朋友做全面篩檢，發現普遍有蛀牙、頭蝨、體重過重等問題，其中又以蛀牙問題最爲嚴重，需要立刻治療與長期追蹤。

因爲東海岸沿線幾乎沒有牙醫診所，她先向東部的牙醫師公會申請支援，希望他們能共襄義舉，到海厝來舉辦義診，畢竟東部的兒童若能由在地的醫師們來守護，追蹤的成效會更好。可惜當年度牙醫師公會的活動已經滿檔，幸好花蓮慈濟醫院牙醫師李彝邦自告奮勇，願意來海厝協助學生們解決牙齒問題。

不過，由於蛀牙情況非常嚴重，需要長期照護，慈濟基金會慈善志業發展處呂芳川主任在得知這樣的情況之後，有感於東部人力資源較缺乏，因此向北區慈濟人醫會申請支援，不久後，就接到許多醫師紛紛熱情報名，願意到東部來服務。

二〇一三年十月，慈濟基金會慈發處與花蓮慈濟醫院、慈濟人醫會以及慈濟大學醫學系學生，在海厝聯合舉辦一場規模相當大的義診、健檢及衛教宣導活動。醫療團隊動員人數大約四、五十人，再加上牙科醫療器械較多，爲了讓義診流程能順利進行，醫療工務團隊在前一天就到現場，先進行場地與電力線路布置工作！

淑美老師非常開心的說：「這是海厝假日學校成立六年以來，第一次的大型義診啊！」

一早七點，衆人浩浩蕩蕩到達海厝。志工們忙著布置報到區、休息區、診療區及衛教區……等等，海厝的義工及課輔老師們在迎接小朋友們到來，吃早餐、刷牙後，就分批進行牙齒診療、口腔檢查，最後由慈濟大學醫學系的學生們做衛教宣導。

醫療團隊特別把所有學童的問題都建立口卡，因爲將近九十位的小朋友

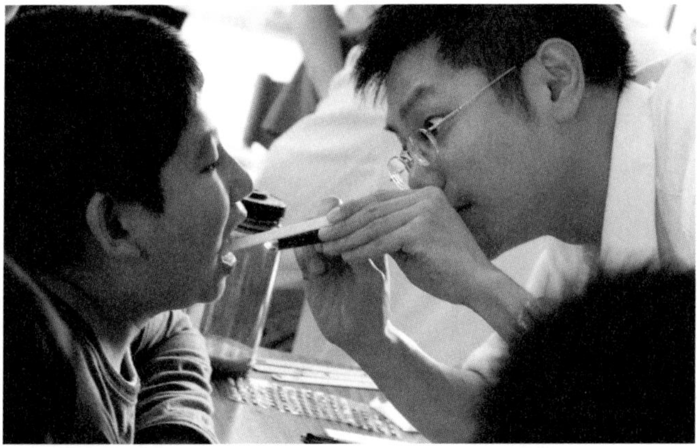

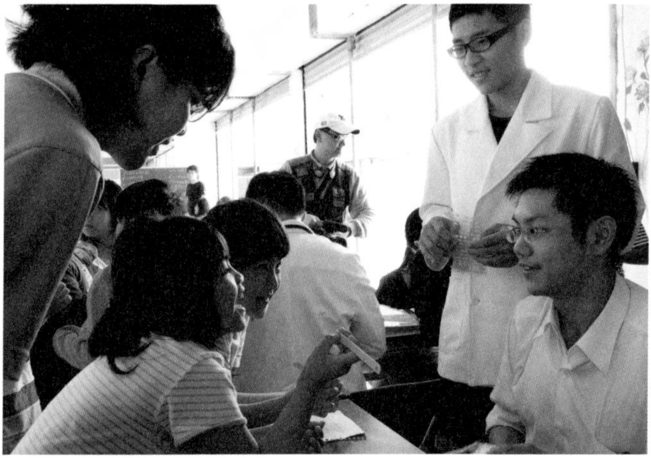

圖／朱紹盈提供

醫學生衛教

在推廣閱讀之外，朱紹盈發現海厝學生們的健康問題很需要被關注，於是經常帶領慈濟大學醫學生為小朋友做各項篩檢及衛教，並且把握時間分享繪本的趣味及說故事。

裡，他們發現百分之九十六都有蛀牙的問題。

謝金龍醫師說：「現在我們建立口卡，就是讓他們知道有哪些問題，以後還要繼續處理，事實上，補蛀牙只是一時，假如學好一個潔牙習慣，才是一輩子的事情，所以後續的衛教很重要。」

大部份的學童蛀牙實在嚴重，但是又怕看牙醫，這時候經驗豐富的團隊會拿出貼紙，甚至還有氣球，來吸引學童的注意力，最後再送上最重要的禮物——牙刷。於是，通常學童們一躺上診療檯聽到器械聲就忍不住哭了起來，之後是緊緊握著禮物破涕爲笑地謝謝醫生叔叔。

義診活動除了照顧牙齒，也進行口腔篩檢、視力保健檢查，並且針對大人們提供癌症篩檢、菸害衛教、骨質密度測量與健康諮詢等服務，讓附近就醫不便的鄉親們，也能夠在此次義診中建立良好的健康知識。

由於學童蛀牙情況需要長期追蹤照護，後續又舉辦了幾次義診，朱紹盈特別感謝李彝邦醫師不但主動參與，更號召許多牙醫師加入，尤其有一年的夏天高溫炎熱，讓所有的人汗流浹背，而醫師們在白袍之下更是溼透衣服，

為了讓義診流程能順利進行，醫療工務團隊在前一天就到現場，先進行場地與電力線路布置工作。

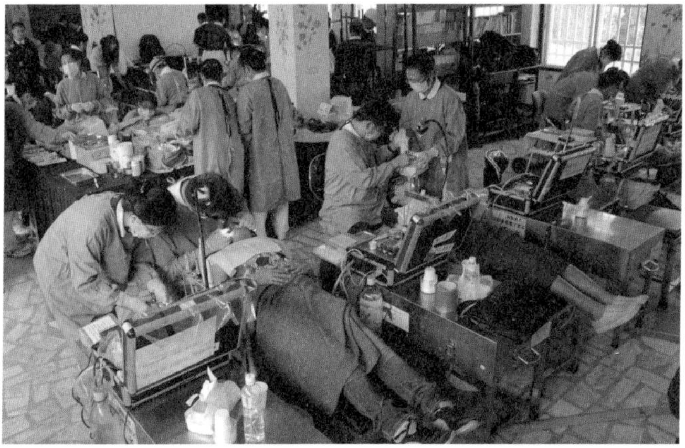

攝影／黃思齊

二〇一三年十月，海厝舉辦了有始以來規模最大的義診、健檢及衛教宣導活動，醫療團隊動員人數將近五十人。

也沒有任何人抱怨。

李彞邦醫師不無感慨：「東部地區不容易推親子閱讀，是因爲隔代教養的情況特別多，蛀牙率也跟隔代教養有關係，如果能確實執行睡覺前刷牙，蛀牙率肯定會下降非常多，因爲細菌是不睡覺的。」

他記得有一次義診，發現國小四年級的小妹妹牙齒上有檳榔汁，心裡不太相信，還以爲是吃什麼食物染色，就問：「妳吃了什麼東西啊？」

小妹妹還不敢回答，一旁的小朋友就大聲說：「她都吃檳榔啦！」

再問之下，原來阿嬤開檳榔攤。李彞邦一驚，這麼小小年紀就吃檳榔，將來怎麼辦？他特地拍照存證，威脅利誘，再請老師做見證：「她有答應以後不再吃檳榔了。」如此，他才稍稍安心。

除了牙齒，海厝的老師們接到孩子們許下的願望，竟然是希望可以長高高，朱紹盈又帶著醫學生們爲孩子們進行身體評估和衛教講座。在一次又一次的關懷行動中，慈濟大學的醫學生扮演了很重要的角色。

服務，是自我訓練的歷程

「你平常喜不喜歡看書？」香蕉哥哥問。

五歲的小冠很直接就回答：「不喜歡。」

「那你課外時間會去看書嗎？」

「都不會。」

於是，香蕉哥哥換一個方式問：「可是我好想聽你講故事喔，你能不能看完這本書，然後待會講故事給我聽。」

「嗯……」小冠真的拿起書來先讀過一遍之後，再一頁一頁講給他聽。

「哇！你好會講故事喔！哥哥都沒有你那麼會講。」

小冠有些不好意思，卻開心的笑了。

這位「香蕉哥哥」是慈濟大學醫學系七年級的郭彥辰，雖然才來海厝三次，聽見小朋友會叫他的綽號「香蕉哥哥」，讓他非常窩心，趁著義診檢查的空檔，耐心的陪著小朋友閱讀童話故事。

熱到汗流浹背的這一天義診，雖然郭彥辰看起來精神奕奕，但事實上，他勉強睜大眼睛說：「我昨天晚上値班，整夜都沒睡，今天早上還是陪伴學弟妹來海厝。其實我現在很累，可能坐著就會睡著，但是看到小朋友們能快快樂樂的，學弟妹們也非常能獨當一面了，我的精神就相對很好。」

雖然此時化身爲「香蕉哥哥」，郭彥辰曾費心盡力把海厝服務經驗寫成海報論文，被世界性的醫學年會接受，甚至還到西班牙參加國際性會議。

「沒想到我一個還沒畢業的醫學生，可以出國去參加這種國際的會議，跟世界各國醫療的專家和前輩們，以及不同國家的醫學生有這樣交流的機會，我覺得這對我的人生眞的是一個很大很大的衝擊。」

二〇一四年四月，他受邀到西班牙參加國際性會議，看到自己的論文成果貼在大會上，心情格外激動。許多外國人看到海報，前來詢問，他就講述在東海岸上的海厝假日學校，這些孩子面對醫療、社會資源等等的狀況，以及醫學生來到這裡如何服務，過程中又得到什麼、回饋什麼等等。

「一開始，對於把經驗實際做成紀錄，眞的沒有很熱衷，也沒有動力去做，平常實習已經很累了，回家就想休息，哪還有力氣去做其他事，但老師把我往前推，讓我明白服務是一回事，但服務沒有留下成果，是一件很可惜的事情。」郭彥辰很眞誠的說：「半年多來，這個報告從零到有到出國的一路上，如果沒有老師不放棄的認眞催促和鼓勵，我怎麼會有這樣的機會？老師平常帶領我們的過程，就很重視醫學人文，不斷給予很多刺激、很多想法，要我們去思考當醫生還可以做些什麼，爲什麼要當醫生等等，她帶領我們學習的層面很廣，不只是在醫療上而已。這對我的影響眞的很大，很謝謝老師在這一路上的鼓勵和支持。」

他口中的老師，就是朱紹盈。

慈濟醫學院第一屆的醫學生，要進入臨床實習時，當年的朱紹盈就擔負起了教學的任務，在帶學生的過程中她深刻體會到「To teach is to learn twice」，眞正感受了孔子所說「得天下英才而教之，是人生一大樂也」。

不過，她並不希望學生們成爲只是埋首書本，只會讀書的英才，將來怎麼面對一個又一個不一樣的病患？她總是鼓勵學生們參加大大小小活動，發現大家出去服務回來後，總是感動滿滿，甚至擁有更多滿腔熱忱，在分享時總會說原來自己這麼幸福，一定可以像證嚴法師說的：能夠知福、惜福，就能再造福。但是呢，一回到原來的環境裡，也許因爲課業忙碌，很容易就忘記或者沖淡了那當下曾有的感動和發心立願。她希望大家可以透過書寫紀錄自己的心情，同時反思，再一次檢視自己的歷程，才是不虛此行。

朱紹盈強調：「這也是很重要的教學，讓學生們可以深度的去整理思維，能紀錄下來，這就是『reflective practice』（反思性實踐），影響會比較深遠，而不是感動滿滿，也忘記滿滿。」

除了鼓勵，也建議學生們用不同形式呈現成果，例如海報論文，或者寫成文章，朱紹盈之所以重視訓練以成果爲導向的做事模式，是因爲這過程不只是學生們生命中旅程的串連，也是因應社會需求日後會被檢視的部份。

「我不是要求他們而已，其實將心得整理成某種方式呈現，這之間我都還要費許多心思去引領，去教導，我們會有很多討論，從開始到完成可能需要三、四個月，但是很值得，就算只有一個學生肯做，都值得。不可以只有：

哇，好開心，然後一票人服務結束就走了，沒了。」

在醫學系五年級就到兒科實習的蔡斗元，因爲有豐富的志工經驗，朱紹盈讓他試著規劃針對海厝學生們的健康篩檢該如何進行。

蔡斗元從高中就開始做志工，大學一年級時衝擊最大，第一次去到部落服務，發現許多父母疏於照顧及生活教育，小朋友竟會直接大小便在操場上……，他習慣把人生當數學問題，遇到什麼就要解出答案來，剛去做志工時，就會一直想，答案會是什麼？又該如何解決？愈深入卻發現愈多問題。

他鬱鬱的說：「例如經濟問題、衛生習慣、認知落差、暴力、性侵害、毒品等等，問題太多，隨便想都是，第一次接觸到這麼多社會問題，跟以前的人生經驗有太多的衝突。」

當我們希望每個兒童的成長過程，都能受到很多的關愛，當我們以爲從前所接受到的教育、衛生觀念，都是理所當然的事情，當我們走出來看到許多許多的不同，才發現，很多原本視爲理所當然的事情，在這個世界上，其實是不一樣的。

本來單純的覺得只要努力就能改變社會、改變世界，所以遇見問題就會想要去解決。例如他曾經整個早上陪伴一個身障的孩子，餵他吃飯，但是飯有三分之一在孩子嘴裡，三分之一在地上，另外三分之一噴到他身上，心裡就產生退縮的障礙。

「可是我以後是要當醫生的，這樣一件事就無法克服心理障礙，將來怎麼辦？後來在某個暑假時，就決定在那一所教養院待三週，完全融入這樣的生活。面對這些孩子的困境，例如外界歧視的眼光，被父母丟棄……我就想，應該要做一點什麼來改變世界。」

這種覺得只要努力就能改變世界的想法，一直到遇見朱紹盈，蔡斗元才看到社會環境的差異中的種種面貌，有些事必須回到現實面，不只是有理想就好。

「老師不會只講光明面，讓我們埋頭去做之後，遇到挫折卻措手不及。她心中除了熱忱，也很實際，一方面要我們看清事實，一方面也會引導正確的價值觀，希望我們不要被社會污染。」

讓他最感佩的，是朱紹盈的以身作則。

「要像老師這樣又是醫生又願意深入去社區，還帶著學生一起做，其實很少。老師也會有很多要求，例如來海厝服務時，五年級的要帶低年級的學弟妹，這叫傳承，還要我們去訪問小朋友，聽聽他們對活動安排的想法，做資料整理統合，確認衛教是否有效益。這是一個滿長的訓練過程，她必須在學生身上花費許多時間陪伴和訓練，但這些短時間內看不到成果，也沒有額外的津貼，反而都必須自己花時間花錢去做，都是在做志工。老師眞的很願意花時間在教育上，而且無怨無悔的。」

最後，在這樣的身教裡，蔡斗元學會了兼顧做志工的開心與自我訓練，也明白了凡事有因有緣，我們或許無能爲力去解決什麼現實問題，但可以在每一次的接觸裡盡力付出，用心陪伴。所以在接觸海厝假日學校之後，他總會找更多的學弟妹一起參加，是傳承，但也是收集更多的愛，透過衛教活動，默默傳遞。

一生教育自己

「我不會有什麼多大的願望，說這些小孩子會因爲我，就變得很棒很好，但是我希望可以藉由我們陪伴的這幾個小時，讓他們眞正感到快樂，就算很短暫，只要快樂、有能量的繼續生活下去就夠了。對我來說，這是我一直想加入服務隊的原因。」

醫學系三年級的李韋辰剛進醫學系時，聽到學長姐在介紹社區服務，就覺得能夠去服務小朋友還滿酷的，能和同學一起完成一件事，感覺也很好。尤其在服務的過程中，可以讓小朋友開心，眞的會覺得這一瞬間很有意義很值得。

讓一個小朋友開心，自己也會很開心，李韋辰發現「單純」是能眞正感到快樂的重要原因，每當課業繁重時，他就會更加想念小朋友，能到海厝服務，讓他重新感覺到純眞的能量！

「對啊，和孩子在一起很單純，一次兩次三次……也許他不一定記得你的名字，但是他知道這是上次來教我刷牙的哥哥。」很重視刷牙的醫學系二年級陳其延說。

大家都知道要刷牙，但刷的方式錯了，要怎麼用比較輕鬆的方式教導正確的刷牙法，還要讓他們記住呢？他很認眞思考這個問題。

「第一次參加義診後，我回去就想，如果有機會我還要再來，而且要設計簡化版的口訣，教他們什麼是貝氏刷牙法。」陳其延笑得很開心。「一開始可能還搞不清楚狀況，小朋友就傻傻的跟著背，多重複幾次就能順利背出來，至少記住了正確刷牙的方法，不會只知道牙刷拿著就要往嘴巴裡面塞。我小小的心願就是，希望他們都不會再蛀牙。

已經來過四、五次的閻思妤，常常擔任負責聯絡和規劃的任務。

「大部分的小朋友都是愛玩的，那很正常，活潑是孩子的天性嘛！可是還是會有少部分想要看書，只是不太敢講，因爲其他人都不想要，在團體裡就會被影響。如果提供資源，會發現有些小朋友看到書是很珍惜的，我們沒辦法逼迫他們去喜歡閱讀，但也是希望可以遇到那些，其實心裡面很喜歡，但是不知要怎麼表達的小朋友，這時候我就會拿起書講故事給他們聽，小朋友其實是很高興的喔！」

不過，對於服務，她說自己就只知道陪小朋友、教小朋友，從來沒有想過，服務的時候還會有別的事情產生影響，她很佩服朱紹盈總能讓他們開啓不同的視野！

「例如老師很注重我們在海厝裡的角色，除了跟小朋友的關係以外，跟醫院如何連結，要思考的範圍很大，甚至希望我們都能產生成果，不要只是一直在服務，讓時間平白流逝，她會以評估或者數據，來做一些分析。雖然這比較硬性，沒那麼有趣，但就現實來說，那就是我們日後的資糧。老師所提醒的這些，我以前都沒有想過，覺得眞的開了很大的眼界。」

在現階段把朱紹盈當成偶像的醫學系三年級李韋辰，認爲她做的事情都很酷。

「我就覺得老師好厲害喔！怎麼能做那麼多事情？所以老師算是我目前學習的偶像。」李韋辰閃亮著眼睛說：「這是因爲她做的事情都很有意義，

圖／朱紹盈提供

慈濟大學的學生們來海厝服務，把握時間說故事。

不問收穫，但一定要去做，我覺得這樣很酷。希望未來我也能夠找到一件我所重視的事情，然後像老師一樣堅持的做下去。我覺得醫生只是穿上白袍在診間裡的時候才是醫生，等到你脫下白袍了，還是跟別人一樣，但是如果你有更多能力，就應該要多付出，就像老師一樣。」

醫學生們的想法，正反映了美國教育哲學家羅伯特·哈欽斯說過的：「教育的目的，是準備好讓孩子一生教育自己。」

終究，未來是握在自己手中，要想成爲什麼人？做什麼事？有什麼夢想和希望？孩子們一路成長的過程所面對的種種人事物，都是大關鍵，我們不能也無法強迫，但是不論正向或負向的教育，都會帶來深深的影響力。朱紹盈明白這樣的關鍵，對她來說，教育中最寶貴的經驗，是用鼓勵的信念帶著正向的態度，來引領學生們走向未來的路。這也就是上人時時刻刻提醒，身教言教的重要性。

在此引領之前，朱紹盈做足了功課，先教育自己的心念，才能帶領學生；其後，就是讓這些醫學生們一生自己教育自己，走好未來的路。

這是一種可能性！

在創造這種「自己先改變自己，進而獲得快樂幸福，甚至影響周遭及改變世界」的可能性時，朱紹盈所想的不只是兒童，還包括了這些將來要穿上白袍的醫學生。

朱紹盈非常欣慰的是，這些醫學生們都明白了，也做到了。

「看起來，是我們來關懷海厝的孩子們，相對的，是透過這樣的行動，確定自己的愛一直都在，不曾遺失，只要明白過程的珍貴和價值，能找到本心，就找到了眞正的自己。」

海風吹來幸福

在這個假日學校裡，一邊是車流不斷的台十一線，一邊是海風徐徐的太平洋，前來義診的牙醫師們雙手始終忙碌，汗滴綿延白袍；醫學生抓緊時間，面對活潑好動的孩子們，抓住一個講一個，擺出十八般武藝要將自創的口訣灌入小小腦袋中，期望此番的衛教能有助他們日後的健康；慈濟志工招呼著該剪髮的小朋友，一個個幫他們換上新髮型；海厝的老師們賣力為其他不必看診的學生講課；坐不住的小朋友三三兩兩在廣場上玩了起來……

朱紹盈忙碌的穿梭在其中，關懷每一個點的運作，老師們尋來，有兩位小朋友需要心理關懷；醫學生尋來，流程上要增加的或要減少的；志工們尋來，問卷的填寫是要注意什麼……她不厭其煩的擔任著橋梁的角色。

哎！天清雲闊，所有大人們的碌碌復碌碌，盡為此地的、我們的、共同的孩子。

慈濟大學第一屆的醫學生，曾到水璉部落去做課業輔導，當時有一位小男生黃琦，特別喜歡和大哥哥大姊姊在一起，也很用心讀書，黃琦長大後，認眞的想走出自己的路來，一路求學不輟，終於考上了台大法律系，這對鄉下人家來說，是多麼高興萬分的事。然而黃琦卻做了人生重要的決定，他放棄台北這個繁華城市，選擇了慈濟大學醫學系，選擇留在花蓮，更選擇了花蓮很缺乏醫師的婦產科。在他童年的記憶裡，當年那群大哥哥大姊姊帶來的

圖／廖家麟

朱紹盈為海厝的孩子們講故事。

影響很深，在心裡，他甚至以他們為榜樣，希望自己也能對家鄉有所回饋。

這個眞實的故事讓朱紹盈很感動，也找到了持續下去的力量。

她期待有更多的黃琦，更多找到自己的人生正確道路的孩子；期待在海厝的這群學童的人生中，記得曾經有這麼一段日子，有一群老師、醫生、大哥哥、大姊姊來到身邊，關注他的心靈與健康，告訴他要如何愛護自己，要如何照顧好自己的身體；在每一次的義診裡的空檔中，她和學生們依然把握時間，一對一陪伴孩子讀一本書，說個故事，期待孩子們在書本的世界裡看向更不一樣的未來；然後，期待孩子們，都能安心成長！

美麗而遼闊的太平洋啊，在這個假日學校，你遺海風拍浪送來的，必然是聲聲的祝福！

最美麗的約會

星球A的故事媽咪
帶著水晶魔球三顆
來到星球B
小孩 so.so.so 一個個地被召喚出來
歡樂．神奇．驚喜．甜蜜蜜

閃閃發光的隕石上
那朵紅玫瑰正演奏著彩色的旋律
媽咪左手舉起海裡來的寶石
右手替所有孩子們戴上好奇帽
接著
一口氣吹出三個神奇的故事
鯨魚王的歌聲．我將搬去銅藍村．豐田玉的一生

朱紹盈／故事媽咪

約會1：等一個聽故事的人

「花蓮是我們的家鄉，朱醫師從緬甸來，卻這麼努力想在這裡把閱讀扎根。」

志工媽媽李美華是退休老師，她認爲喜歡的事當然可以有很多，例如運動、唱歌，但是閱讀能打動柔軟的心，可以說是人生方向的扎根，非常重要。再加上她覺得朱紹盈身爲醫生，又是講師，還撥出有限的時間來推廣，如果不是使命感，怎麼能堅持？

關於使命感，李美華講了一個小故事。

每次到了說故事時間，如果來的小朋友不多，難免讓人有些落寞，但是朱紹盈不會，不管來多少人都樂意分享。有一次竟然連一個小朋友也沒有，大家只好收拾東西準備離去，連單槍投影機也都收好了，這時，有位媽媽帶一個孩子走進來就坐下來等，他們問：

「你們……是要來聽故事嗎？」

「對啊，特地從北埔來這裡聽故事。」這位媽媽認眞回答。

他們大家對看一眼，朱紹盈馬上就說，一個也要講。於是，單槍投影機又重新裝好，已收拾好的書本等等再度拿出來……開始講故事。

「這就是使命感，要有很大的熱忱才能堅持。」李美華感動的說。

而每一次說故事，朱紹盈都當成是和小朋友約會，在忙碌的日子裡最美麗的約會，就是閱讀。

約會2：兒童圖書館

本身是花蓮慈濟醫院牙醫師的李彝邦，特別喜歡做健康衛教，這次來到兒童圖書館，全家一起出動講《鱷魚怕怕，牙醫怕怕》這本童話繪本，由太太主持，兒子演牙醫，李彝邦演鱷魚，又演又笑，不管台下觀眾如何，自己都演到樂在其中，尤其是把「平常保養得好就不必去看牙醫」透過戲劇演出來，最後再來個「有獎徵答送牙刷」，衛教的效果特別好。

他常常跟著當志工的太太鄭雅蓉，一起帶兒子到處去說故事，因此拍胸自豪：「我們是全家出動。」接著又笑嘻嘻的說：「說是全家人，其實也才三口人，哈哈哈！」

說故事是他們一家人得心應手的事，從孩子出生時就每天都在講故事。可是回想「從前」，李彝邦忍不住小小埋怨一下：「兒子出生之後，我太太就逼我講故事，其實我下班也都累了，哪還有力氣講。」

鄭雅蓉笑嘻嘻的補充：「他剛開始就覺得好辛苦，可是講了一陣子之後，親子之間的感情變不一樣了，互動也變深，就喜歡上講故事了。」

「對對對，講得要生動，自己要先看一遍，才知道哪裡要加重語氣，何時要變聲，一個人扮演多個角色，還滿過癮的，兒子愈來愈喜歡聽，趁著讀繪本時，也順便教他認字。」李彝邦非常滿意：「目前兒子讀幼稚園大班，已經能自己讀故事書。所以說故事這件事，就是被我兒子訓練出來的，出去講給其他小朋友聽，當作是講給我兒子聽，就很自然了。」

原來「得心應手」的志工爸爸媽媽，也是「從孩子小時候」被培養出來，說到他們夫妻一搭一唱、志同道合的微笑表情，朱紹盈感覺他們眞是幸福極了，一家人熱心的把這樣的幸福到處散播，讓說故事的身影在各個需要的角落飛來飛去，猶如帥氣的小飛俠。

朱紹盈初次去拜訪花蓮市立兒童圖書館時，對蔡淑香館長印象非常深刻，蔡館長是一位思維開明且對藝文活動充滿熱情的人，尤其相當重視兒童閱讀，再加上圖書館的空間十分寬敞，她心想，如果能在週末和小朋友來場閱讀約會，是多麼有趣的事，蔡館長很支持這樣的想法，大家就一起投入週末的說故事時間。

「我還帶女兒一起去講故事，不管來的人多或人少，只要有人願意聽，我們就非常高興，女兒也玩得很開心。」

朱紹盈好喜歡這樣的閱讀約會。

志工李美華第一次來到兒童圖書館說故事，內心有很多感觸。

「這裡的前身是軍營，我小時候住在這附近，看到這裡變身爲兒童圖書館，說不出的開心。能有這樣的地方讓孩子們休假時還能安心看書，怎麼不棒呢！實在太棒了。」

特地從花蓮縣瑞穗鄉前來說故事的謝惠美，本身是鶴岡國小的老師，她認爲現在資源很多，只是網路、電視等等的方便性，會更吸引兒童，因此對於朱紹盈的做法，她很樂意參與推廣。

「因爲朱醫師用的是腳踏實地的方式，一定都會親身參與，還出錢出力，在忙碌的工作裡，這樣很不容易。」

就是這種深刻的認同度，讓他們盡可能撥出時間一起加入。而這麼多志同道合的力量，也讓朱紹盈感激的說：「大家都因爲愛閱讀，所以才會相聚在一起，這樣的用心投入是無怨無求的，正如上人說的，一個人做不完天下事。」

從前，我們也許都是啃著武俠小說來練功；現在，可能都是從電玩電腦遊戲來練功。教育走到了這裡，是不是許多人都在擔心，基本的道德和禮義廉恥默默消失了，代之而起的都是網路遊戲裡的打打殺殺？也因此，推動閱讀從零歲就開始，只想讓孩子們認識世界，更想從小就培養一顆柔軟的心，閱讀好書，讓想像去飛翔，讓心靈更開闊，最終，當他們在長大的過程裡，不論方向是什麼，都會擁有一個愛的位置，那是屬於自己的，也願意和世界分享的位置。

這麼多志工爸爸媽媽的開心投入，也是相同的目標嗎？

牽著孩子們的手，他們要擁抱閱讀繼續走下去，而且，要一直走下去。

約會3：社區便利商店

源於八八水患時，德悅師父和朱紹盈曾看過報導，有便利商店協助災區的小朋友課業輔導，那麼，尋找設置閱讀站時，是否也可以和便利商店合作呢？他們先去找相關人士詢問，有人推薦新城的這家便利商店，聽說店長是個有心人，很樂於回饋鄉親，而這個地點，又正好有許多孩子會泡在這裡等父母下班一起回家。

第一次初見面相談甚歡，朱紹盈和團隊們不但協助設計閱讀空間，還募集許多書籍，又自掏腰包買書架，等到建構完成，眾人眞是充滿期待，獻上

攝影／吳惠晶

全家便利商店

新城鄉的全家便利商店店長林承泰，很支持推動閱讀的理念，特別將店內整理出一個舒適的閱讀角落。圖為朱紹盈和團隊送書到便利商店時，正好遇見兩位國中生來看書，朱紹盈特別和她們聊聊對閱讀的想法。（右二為店長林承泰）

滿滿的祝福之後才心滿意足的離去。但是，好長一段時間都沉寂沒有下文，聽說書架也撤了，書也收了，閱讀空間不再獨立……

怎麼……會這樣？

再度詢問之下，原來是店長本身有家族性的心血管疾病，在醫院治療，暫時無暇顧及，等到店長出院之後，又生龍活虎的重新整理閱讀空間了。

「剛開始還不懂如何運作啦，本來規劃的兒童閱讀區是給孩子看書寫功課專用的，很多外地客人弄不清楚，就直接坐到閱讀區，我特地準備的原木桌椅，都被寫字或刻字，眞是不勝其擾，只好先收起來。現在做個大海報清清楚楚，相信大家就不會再不小心佔用了。」店長林承泰說：「小朋友喜歡看書是一件很好的事情，多多少少會有正面的影響，我就常跟家長說，如果沒空照顧，週末就讓孩子來這裡，寫功課或看看書，至少安心。」

林承泰是土生土長的花蓮縣新城鄉人，生於斯長於斯，被這塊土地滋養而成長，一直有想要回饋的念頭，當朱紹盈提出設置兒童閱讀空間時，他一口就答應，尤其新城鄉比較偏僻，附近的孩子多一個就近的地方能看到好書，當然是好事。

有四位國中生常常喜歡到這裡來聊天、看書，其中一位把架上關於動物的書全看完了，還有喜歡烹飪的，喜歡歷史的……，朱紹盈一聽，在補書時，就特別選了相關的書。對她而言，書就是要出現在有孩子的地方，只要有機會，她眞想在每個角落都能設立閱讀站。

約會4：袋袋傳幸福

第一次嘗試和托兒所合作，朱紹盈先拜訪部落裡的水源托兒所園長，希望提供零到五歲的孩童每人一份閱讀書袋，只要家長願意配合，就能將閱讀書袋免費帶回家，每隔一段時間再送回來更換不同的書籍。

不過，園長溫照美雖然認同，卻有許多疑慮，例如書弄髒或弄破了怎麼辦？遺失了怎麼辦？不讀怎麼辦？朱紹盈一一解釋，強調這個活動的重點是，讓有意願的家長把書袋帶回家讀給小朋友聽。

「我們特別設計了這個扎實的書袋，是考慮到有的家庭裡沒有書桌或書架，對於圖書的保存會比較困擾，有了這個閱讀書袋，隨拿隨放很方便。家長要先能答應，願意主動陪孩子看書，就可以領取一份。」

「萬一答應了，拿回去又沒讀呢？」溫園長還是擔心著。

朱紹盈笑呵呵的說：「沒關係啦，第一步先做啊，雖然這個活動是要強調親子關係的建立，但好玩、輕鬆才是最重要的。也可以來教家長們如何說故事喔，我們純粹希望孩子們從小就有機會讀到很多很有趣的故事。」

這不是學校的功課，是家中的休閒活動，就算家長真的沒空，也不需要有壓力，只要有書在家裡，就是給孩子一個閱讀機會。

等到開學日的家長說明會當天，團隊們準備了三十份的閱讀書袋，詳細說明書袋的內容，每位家長可領取一份，每兩週進行書袋交換，年底時再全數送回。朱紹盈在介紹禮袋的意義後，家長們開開心心的來領取，有位阿嬤一個人帶兩個孫，領了兩個不同年級的書袋，頻頻說「讀書是好事，回家我會叫他們要讀」，大家的熱絡，讓托兒所刹那間的空氣滿是書香之香，期待之情。

這是第一次和托兒所合作「書書串親情‧袋袋傳幸福」的活動，要讓小朋友在家裡跟書袋約會。當然，這又是一個新的夢想，不論夢想的結局是什麼，第一步，總要認眞踏實的先跨上來。只是消息一傳出，許多托兒所也主動想要加入這個活動，雖然很高興大家都這麼認同兒童閱讀，但朱紹盈不急，先看第一步的計劃實行效果如何，從中擷取經驗再進行下一步，畢竟，這場孩子和書袋的約會，是非常需要家長協助推動的！

約會5：神奇多分享

一個仲夏的午后，將一頭烏黑長髮挽成髻的朱紹盈，從花蓮市開了一百多公里的路，來到位於花東縱谷南端的富里鄉羅山村，一家小小民宿咖啡。她翻開故事書，對著小朋友說：「這裡是肚臍，呵了會癢癢……這裡是我們私密的地方，不可以隨便給別人摸……」

身爲小兒科醫師，此刻透過繪本，化身爲故事媽媽，用說故事的方式教導兒童認識自己的身體，陪著他們繞圈圈唱兒歌、吃麵包、享用下午茶。

三年來，朱紹盈慢慢將推廣的路線延伸出去。

到早療協會的萬榮兒童暨家庭部落社區服務據點，認識負責人林乃馨老師，攜手一起把閱讀也在這裡扎根。

到萬榮鄉紅葉村萱草園拜訪李炳盛理事長，推廣閱讀運動「處處是書籍，時時可閱讀」，和許慧貞老師以及許多志工爸爸媽媽，再加上紅葉國小學生，共同將萱草園整理出一個舒適的閱讀空間，不但把書分門別類安置好，還修理可用的書、淘汰舊書。

舉辦南區故事達人工作坊，教大家如何說故事，如何與孩子對話，營造閱讀氣氛，並且介紹親子共讀的各項資源及運用，最重要的是想培育親子共讀講師及推廣種子，讓大家回去後，就能落實在自己的村落裡。

爲了一場褓姆訓練，一大早從花蓮出發趕到玉里鎭，在介紹兒童生長發育時，把握機會延伸閱讀的重要性。因爲這麼多大人來上課，都是爲了如何照顧兒童，屬於主角的兒童雖然沒有出現，衆人卻是爲了建構孩子們的幸福未來而努力著。朱紹盈一再跟褓姆們強調：「用電視養出來的小孩，只學會了幾個按鍵，快速而單調；用文字用書籍養出來的小孩，不只學會思考，也更有想像力。」她期待能產生「會說故事給我聽的褓姆」，那正是所有孩子最美好的禮物。

在閱讀書本之外，還結合慈濟大學一起舉辦「山海樂活籃球人文營」，在傍山依海的花蓮，邀請各部落的孩子來一場籃球人文營的比賽。

「何縕琪帶領承擔隊輔的學生們，先到部落去一一家訪，提早認識才能更加貼近參加籃球營的孩子，開營的當日是個風雨天，不過有百分之九十的報到率喔，營隊結束後，迴響很大，留住了很多豐富的回憶。」

如此種種，朱紹盈從原本是路癡到熟悉各鄉鎮道路，走訪及推廣過程中的許許多多的成功與失敗，都點點滴滴在心頭，許多情況好似「發書沒有人來領，發鹽巴醬油就會有人來」的窘況，她認為三年多來，要說有什麼具體效果，實難以表述，不過，只要有機會，她總要把握時間到處分享這樣的理念。

我曾看過一本很有趣的童話故事：大熊瑞奇是一個美食家，一直希望有更好吃的東西出現，聽說芬香村住著一群羊，牠們有某種神奇調味料可以讓食物變美味，大熊瑞奇趕忙去參加了芬香村的晚餐，吃到前所未有、今生最美味的烤馬鈴薯，牠呆呆盯著眼前的歡樂氣氛，「神奇的……調味料？啊～我知道了。」

大熊瑞奇到底發現什麼祕密呢？

他發現，好吃的祕訣不是獨享，而是分享。而所謂神奇的調味料，原來就是——分享。

爲什麼每一場閱讀約會，都讓人感覺像是撒了魔法般的神奇，如此開心著，原來朱紹盈和志工們一直都擁有這神奇的調味料：「樂於分享。」

「我其實是個很內向的人，又沒方向感，」朱紹盈小聲的說：「記得第一次參加營隊活動時，我先生必須先到達鹿野，又擔心我一個人不會坐火車，於是就先寫好一張表，紀錄從這裡到那裡要怎麼走，直到去鹿野還在擔心我坐錯車，擔心到全部的人都知道啦，結果我一抵達，每個人看到我就說：啊！妳安全到達啦！」

爲了推動閱讀，她覺得自己可以算是天不怕地不怕了，要出去找資源，要拜訪很多人，要勇敢站在大衆面前……，就眞的能長出很多力量。雖然她一直想給孩子生命的禮物，但在推動的過程裡，帶來的收穫和成長，自己卻是獲益最多的。

「花蓮有很多人才啊，只是需要有人去串連起來。」朱紹盈一方面感慨，一方面也充滿期待。「眞的有各式各樣的人才，很豐富的長在花蓮這塊土地上，大家都在做一些很好的事情，讓我感到花蓮實在很棒，就是在這些用心用力的人。」

這個很棒的發現，是她在推動閱讀的時候看見的，有些人擅長策劃，有些人特別會說故事，能夠經驗分享的大有人在，「to test、to teach、to learn」，教學相長，她認爲東區的人才很足夠，也有實質的內容可以運作，如果能夠整合，眞的是孩子們莫大的福氣。

朱紹盈期待的，正是東部的人才與資源能夠整合在一起，能夠共同分享，分享！

那麼，這些美麗的事情將會如花朵般，神奇的綻放。

何處春江無月明

頭上戴著幸福的蓮花
身上穿著雪白的衣裳
手上握著一顆夜明珠
雲的國度裡，有我
海的國度裡，有你
泥土國度裡，有他
山的國度裡，有大家一起

朱紹盈／故鄉

讀書的堅持

從臺大醫學系畢業後，來到花蓮十八載，朱紹盈以一名小兒科醫師的身份，向外延伸出推廣兒童閱讀的決心，這樣的使命之外，她有一位同樣當醫生的先生，始終是她堅強的後盾，一雙優秀乖巧的兒女，從來不必操心。她是一生幸運、一帆順遂，還是一路知足？

從小生長在緬甸，接近雲南的深山裡，朱紹盈的父母因爲戰爭的關係，到處逃難、奔波，戰爭雖然可怕，但讓她印象最深刻的，是父母始終沒有忘懷讀書的重要性，以及對小孩的教育。

她父親十二歲就被抓去當兵，課業就此切斷，有了家庭後，很堅持小孩一定要好好讀書。母親從小生長在讀書人家，受盡戰爭的諸多苦難之餘，還是覺得讀書很重要。

談到母親對教育的堅持，不只是觀念的傳承，還有嚴格的要求。因爲在緬甸要學習中文的機會很少，她母親就自行研究學習方法：例如設計很多卡片，用毛筆寫下一些句子，再放進桶子中，讓小孩像抽籤一樣去抽出卡片，然後將卡片上的字讀出來，還要解說字義，再不然就到處去找華文的書籍，要求孩子們閱讀。甚至為了能學習華文，帶著孩子搬了三次家。

「堅持要好好讀書」這件事，幾乎影響了家中所有的孩子的生命價值觀。

一封決鬥信

國共戰爭結束後，她父親嘗試做生意，家裡的經濟狀況也慢慢平順變好。

「所以我們家都會有最新的東西，記得我爸從泰國買了一台腳踏車回來，當我們騎在馬路上，哇，多少人很羨慕的看著，那時候，很多小孩子都還是沒有鞋子穿的。」

這樣的優渥生活條件，卻反而讓朱紹盈看到環境差異帶來的無奈。

有位同學必須一大早起床去摘芭樂，再拿去市場賣，每次從自家二樓陽台看到個兒小小的同學扛著重重的芭樂經過，她就有股衝動想去幫忙賣芭樂，可是父母不同意。不但不同意，甚至不希望她和同學太接近，當時家境不好的同學有些甚至被賣掉，也有小小年紀就學會抽菸的，家人擔心她交上壞朋友，再加上家中其他兄弟姐妹都規規矩矩、安安靜靜，朱紹盈卻總喜歡往外跑和同學在一起，這讓父母更不放心。

從小學就參加籃球隊，又被選爲區運代表，還打桌球、打鼓、參加樂隊的她，這樣的活潑在一般家庭應該沒什麼，但是跟長輩們的期望不太一樣，家人就會緊張，其實只是怕她變壞。有一次去同學家慶生聚餐，大概八點多才回家，路上不知發生什麼事，警察封鎖了整條路，全部的人都被帶進警察局，包括朱紹盈，這件事在整個家族裡影響很大，雖然沒有做什麼，只是經過那條街而已……但是一來竟然有個女兒被關進警察局去，二來也因爲八點才回家太晚了。

「我們家規矩很嚴格，放學後就是要回家，我還跑去同學家聚餐，又被送到警察局，這是很不得了的事。」

當她從警察局被領回家，是不是有一場暴風雨等著？

「回家沒有挨罵，但是我媽就臉色很難看，弟弟妹妹看著，也不敢講話，妳就知道嚴重性了，從那件事情之後，我被管得很嚴格。哥哥比較乖，會煮飯，文章、毛筆字都寫得很好，爸媽很放心，當他小學畢業，就被送到泰國讀書，但是不准我去，因為我太另類了他們不放心，所以就被留下來。」

多采多姿的小學生涯結束前，一向成績優秀她收到一封信，並非情書，而是決鬥的挑戰信。

決鬥？為什麼？她皺皺眉頭，小小年紀想不出所以然，就沒把這事兒放心上，未曾赴約，也沒去追查對方是誰。

後來才知道這封決鬥信的來由：竟是某位女同學代人打抱不平，認為她搶了人家喜歡的男生，所以要談判並決鬥。事實上，朱紹盈家教嚴格，認眞讀書是首要任務，對同學都一視同仁，怎知道哪個男生是哪個男生？更何況年紀那麼小，又怎明白小男生小女生之間的喜歡或不喜歡？

「那位當初要跟我決鬥的人，後來一起離開緬甸來到臺灣，直到現在都還是好朋友。」

朱紹盈回憶起這件事，還帶著不打不相識的惜情笑容。

從天上到凡間

十五歲，朱紹盈來到臺灣讀書，藉由分發的制度，順利就讀北一女中，她形容這可能是人生中挫折最大的時期。在緬甸，從小學到中學成績都很好，但那沒有用，因為來到臺灣課業的方向落差很大，所有的學習全部重新開始，導致成績幾乎都落在最後。唯一值得慶幸的是英文，老師常常要她上台去朗誦英文作文給同學聽，還說：「你們看，她寫的作文非常地活潑，而且發音比較沒有臺灣人的腔調。」但是，每天下課還要留下來課業輔導，除了國文、生物、英文，其他全部都被當。

從緬甸鄉下來到臺灣都市，本是信心滿滿的來，卻發現有很多都是從前沒有學過的，這讓她頓時又慌又急。接著高中二年級時，緬甸經濟大崩潰，家裡一度斷援，在臺灣的她和哥哥等於失去經濟援助。朱紹盈從原本不愁吃穿的千金小姐，變成必須靠打工來賺取生活費。

「這一切的一切，都讓我非常想家，雖然哥哥也在臺灣，可是只有星期六、日可以見面，就這樣，想家、功課又差、還要接受課業輔導、還要打工……我覺得自己很悽慘。」

導師看在眼裡，常常關心她，偏偏只要一問到：「想家嗎？」朱紹盈的眼淚就會立刻迸出來，淚流不止。

「我遇到三個好老師，一位是時不時開導我、安慰我的導師；一位是常常叫我上台唸英文的英文老師，他慢慢的幫助我建立信心，一直到讀大學，他帶親人來台大就醫，還會順便來看看我；另外一位是國文老師，有時會送我衣服，關心近況。高三時，感覺自己比較適應，也比較強壯了一點點，很感謝有老師和同學的一路相伴。」

雖然說，這段日子朱紹盈好像從天上掉到地獄裡，但這種悲慘的感覺，最主要是環境差異太大，並非因為失去經濟支援，她形容自己對金錢其實沒什麼概念，小時候就看見了經濟所帶來的環境差別，這種沒錢的狀態，是當時普遍的情況，算不上地獄，只能說是從前住在天上，如今回到凡間，和大家過一樣的生活。

例如小學時那位約她去決鬥的同學，家裡幾乎沒有給她錢，向來就是要打工賺取學費、生活費，在知道朱紹盈的情況後，只要寒暑假找到工作了，就會問她要不要一起去。舅舅有時會寄錢來，哥哥會分享打工的薪水，她也在一大早去學校餐廳幫忙，這樣可以免費吃早餐，中午一下課，又去餐廳幫忙打飯菜，就可以免費吃午餐，尤其同學知道後，還會特別幫她準備便當，讓這一路上是充滿溫暖的。

「老實說，去工讀這件事對我來說沒有很悲傷，記憶中還滿開心的，爲什麼？因爲都能跟同學在一起，有另一種快樂。所以就算從天上掉到凡間，還是遇到很多很棒的好朋友，直到現在大家仍然保持聯絡。」

無關金錢的缺乏，她總覺得夠用就好，從千金小姐掉入平民老百姓的差距，別人以爲的可能會有的悲情，在她身上極其微小。因爲不是只有她，那個年代許多同學的經濟情況普遍差不多，但也沒想要把生活過得太滄桑，年輕的熱情，同儕的互助，足以跨越許多難關。

母親的生死拔河

北一女中畢業後，朱紹盈順利考上臺大醫學系。

其實她的興趣並不是從醫，總覺得自己更適合走藝術的路。這一番誤打誤撞的成果，是因爲母親的心願。

有一天，她的小弟跑到馬路上玩，被車子撞到頭部流血送往醫院，朱媽媽知道後，緊張的衝到醫院，雖然小弟沒事，當時已經懷孕即將臨盆的朱媽媽，卻被發現子宮大出血，醫護人員立刻進行搶救，偏偏血庫存量不足，緊急致電到軍隊求救，於是一整車的軍人趕赴醫院輪流捐血，才把人給救回來。朱媽媽是平安了，但是肚子裡的孩子卻沒有了生命跡象。

這件事對他們全家人影響很大，媽媽生命垂危，未出生的小寶寶已經死亡，爸爸又在外地，大家都很害怕非常無助，朱紹盈形容那種感覺這一生都難以忘懷，但是經歷此番生死交關的朱媽媽，難以忘懷的是醫護人員和那些捐血救她的軍人。

「我媽就說，她一定要活過來，不然四個小孩怎麼辦；又說，萬一爸爸娶了後娘，對這四個小孩不好的話怎麼辦？最後媽媽說，醫生那麼偉大，如果我們家有人可以當醫生，就能去救人。理所當然，我優秀的哥哥承擔了這個期望，結果，哥哥在高二時發現有色盲，不能去讀醫學院，家人把希望放到我頭上，我又很幸運的考上，所以，就成為醫學生了。」

隨波千萬里

朱紹盈坦白的說，考上臺大醫學系是加分加上去的，當年因僑生身分有額外加分，可是數學老師的一番話，卻刺痛了一個年輕孩子的心，老師在全班同學面前說：

「這怎麼會公平？沒有所謂公平了，公平正義在哪裡？吊車尾的人竟然可以進醫學系……」

她為此難過到甚至不想去臺大報到。這位老師不明白，家裡的變故讓她辛苦打工，環境的不適應以及想家讓她常常以淚洗面，可她還是盡力了，認眞學習，努力適應，怎麼能因為加分，就如此刻薄所有的付出？事後反而是同學來安慰：「我們知道僑生的名額和本地生不一樣，妳不用在意老師說的話。」這句話點醒了她，頓時平靜下來，的確，僑生並沒有佔用本地生的名額，她拚，也是跟全世界來的三百多個僑生拚，在一切的努力盡力之後，問心無愧！

不再害怕了！

課業跟不上的憂慮心情早已放下，明白了用對學習方法，所有問題迎刃而解。

金錢從來不是問題，始終相信只要努力，老天爺早已將道路安排好。

想家的心情早已淡去，明白了心在哪裡，人就能安住在哪裡。

「回想起來，不論是學業還是經濟環境，我從天之驕子掉下去，這其中一定有一些功課要讓我學一學，例如學會接受人家給的幫助，當我有能力時也要回饋，後來聽證嚴法師說：施比受更有福。我更懂得了其中的意義。」

如果一直站在同樣的位置上，高度不曾改變，就不會明瞭「福」的涵義，朱紹盈不曾埋怨過種種困境，正因爲她在困境中，更深刻珍惜種種的福分。

「春江潮水連海平，海上明月共潮生。灩灩隨波千萬里，何處春江無月明！」

想像著仰頭的時候，月光粼粼閃耀，哪一處春江哪一處大海不在明月朗照之中？

從緬甸到臺灣，從北一女中到臺大醫學院，接著，又從臺北來到花蓮，隨著命運遷移，不論是何變動，她學會了安然於月光的溫柔照耀下，走向未來；而未來，還要走得更深更廣如海洋。

花蓮，我的靈魂一直都在

我用生命提煉出來的字句
我願意為他們訴說生命的故事
心，因為感動而發現了真正的自己
心，因為寂靜而產生了智慧和勇氣
心，因為付出而感知了生命雋永的內涵
而那是，一條人煙稀少的路

朱紹盈／我的路

傾聽溝通　藉事練心

「星期一要補英文，星期二要補數學，星期三要補……回家還要做功課，做完都很晚了啊！」小女孩淡淡的回答。

因發育較慢長不高的小學生，被父母帶來看診，一問之下每天都很晚睡，朱紹盈問她爲什麼不能早睡？她細數了一週的小學生行程。

「這些功課是你想要學的嗎？」朱紹盈認眞看著孩子的眼睛。

「是爸爸媽媽叫我去補習的。」

「那你喜歡嗎？」

小女孩不敢回答，默默低下頭，因爲父母就坐在後面。

朱紹盈就跟家長說：「你看你看，你們都這樣，她一點都不喜歡去補習，你們看不出來嗎？能不能補少一點，讓她早點睡。」

家長尷尬的回應：「就怕趕不上別人啊！」

「爲什麼要趕上？孩子開心快樂長大比較重要。」接著她又問小女孩：

「妳喜歡上什麼課？」

「語文。」

「喜歡去補英文嗎？」

小女孩也沒說喜不喜歡，只是小聲的回答：「太多了。」

朱紹盈立刻抬頭對家長說：「你看你看，孩子都感覺補太多了，不然你們自己去補補看好了，上學一整天還要補習一整晚還要做完功課才能睡，實在太殘忍了。」

這小女孩本來不太願意跟大家互動，發現醫生阿姨能幫她「伸張正義」，慢慢的，就願意說出內心眞正的話。幸好家長也能聽得下建議，眞的就減少了孩子的補習。

總被認爲具有俠義心腸的朱紹盈，常常在診間替小朋友們和家長溝通。遺傳諮詢師翁純瑩因爲經常跟診，對於朱紹盈不只照顧疾病，甚至會糾正家長一些不當的管教方式，感到很佩服。

「朱醫師對病人非常認眞的，問診過程都很詳細，例如問小朋友病況，通常都是家長在回答，她就會說：讓孩子自己說，因爲我的病患是小孩，現在正是要知道孩子對自己疾病的想法。她非常尊重孩子的想法，等他們說完才會請家長補充，除了傾聽，還很重視溝通，就算是一直重複講同樣的衛教也不會厭煩，就是很認眞，要講到對方懂了爲止。」

十八年轉眼過去，朱紹盈的俠義心腸不變，處世的態度卻變得更加柔軟謙和。

「能夠來到花蓮服務，眞的很感恩，如果當年我繼續留在台北，或許就沒有這樣的機會可以停下來檢視、反省自己，因爲太忙碌了。我感覺自己很好命啊，有一條修行的道路可以跟上，雖然我的速度很慢，但是經常受用無窮，取經的路上就如同是在參學。」

也許，朱紹盈自幼親近出家人的因緣，種下了與佛法的緣份，命運不曾模糊其使命，是山或海的阻隔也不會成爲限地，被牽引著的那顆晶瑩的慈悲之心，從緬甸於是來到花蓮，結緣在慈濟道路上，奉獻、感激！

朱紹盈所認同的學佛道理，不能只是誦經拜佛，或者留在某一個環境裡自己修行，她衷心相信上人所說，要能入世走到人群裡，才能眞正藉事練心。

「佛的形象太超然，什麼事都可以放下，很超越，可是凡人不能，要留一點空間，承認自己是人，會有情緒反應，會有起起伏伏，然後在種種過程裡學會反思，這就是人生的功課啊！」她一路走來的心境即是如此。「每個人的修行進度不同，也要能夠等一等，不能因爲自己做到了，就要求別人也要跟上。這些啊……如果不入世去修行，我很難體會到。」

走一條愛的足跡

初秋的午后，討論室裡有一場讀書會，陸陸續續出現的人，有家庭主婦、有退休的老師、有醫師的太太……她們今天共同的身分，都是志工媽媽，不過，今日大家的目標並非來「讀書」，而是爲了新學期要到部落教室去講故事給孩子們聽，特來學習如何「說書」。

朱紹盈想知道大家對自己所認領的繪本故事，導讀上會不會有困難？因此透過這一場讀書分享方式，一起腦力激盪，將來和孩子們共讀時會更得心應手。

這一季的主題是：健康。

朱紹盈首先分享：「在門診有個小男孩因爲害怕打針就哭了，一旁的媽媽啪的一巴掌打下去，還罵：『男孩子哭什麼哭？』所以在分享打針這本書時，也要同時傳達正確的概念，就是誠實。」

大家聽到這裡都笑了，不是這件事好笑，而是明白了其中的意思，每個人小時候都會害怕打針的吧！哪裡就不能哭呢？不管男孩女孩，都是小孩。

「我們要學習和孩子站在同一個位置，儘量做好心理建設，讓小朋友能有所準備面對打針這件事，不過，所謂心理建設最壞的示範就是：『乖，打針不會痛喔！』大人要明白，打針會痛就是會痛，會害怕就是會害怕，這就是我說的要誠實，用欺騙來哄小孩就不好了，我們在講這個故事時，也要記得誠實喔！」

接著，每個人針對自己準備導讀的故事繪本，一一提出問題，除了朱紹盈的建議，其他志工媽媽也熱心的奉獻想法。

「我覺得這本講食物的繪本好難喔，要怎麼讓小小孩子們明白什麼是健康和不健康，安全和不安全呢？」文媛皺著眉頭問。

朱紹盈馬上回答：「有一些食物是用紅綠燈來表示安全性，可以用這個方法來介紹。另外用化學原料來調出果汁，現場做給小朋友看，效果應該會很好。」

「對啊，現場實驗的效果會很驚人，也比用講的有效。」

「嗯……會不會有人覺得化學的比較好喝？」

「會不會還拿去做給家人喝？」

「哈哈哈……。」

「所以也要準備新鮮的果汁來對比一下，讓小朋友看看化學的恐怖。」

眾人你一言我一語的激盪起來。其中引起討論最熱烈的書，竟然是……

「這一本我就眞的不會講了。」美華一副很想放棄的樣子。
大家紛紛探頭看，是什麼書比「難」還要難？
「啊，實在太難了。」
「眞的，這我也不會講。」
「要不要用引申閱讀，例如談談媽媽懷孕的辛苦過程。」
「對啊，我女兒的學校就讓孩子眞的在衣服裡塞東西，還要揹上幾天的大肚子……最後還教小朋友們如何把寶寶生下來……。」
翁純瑩生動的描述讓大家笑得很開心，紛紛讚歎老師們用心的程度。
「也可以轉到如何保護自己的身體啊！」
「可是來聽故事的小朋友年齡不一，這麼……明顯的……身體……和性器官介紹，我眞的不會耶，」不小心選了這本故事書，美華還是想直接放棄。
「這應該比較適合親子閱讀，自己講給孩子聽。」
原來，引發討論熱烈的這一本兒童繪本，內容講的雖然是小寶寶如何被生下來，卻很清楚的提到身體上的性器官，以及孕育寶寶的過程，難怪美華躊躇不已。

耐心聽完大家的想法，朱紹盈點頭一笑。「那就先換其他本沒關係，這些內容的確是太深了，我先帶回去好好思考，看以後能怎麼應用。」

爲了協助志工媽媽得心應手的成爲說故事「專家」，朱紹盈幾乎是將各個繪本都一一讀過，挑出重點尋到方向；爲了讓小朋友們喜歡聽故事，志工媽媽自己不只要讀過好多次，更要參考衆人的建議，找出最吸引人的方法。

只不過是一本繪本故事書，翻個五分鐘就沒有了，大家不但要想辦法唱作俱佳的把這五分鐘變成一小時，還要能吸住小朋友的眼睛、心靈。

最後朱紹盈建議：在導讀前，就可以列出書籍的幾個學習重點，並在導讀後幫小朋友做個總結或是互動，像遊戲或問答之類，如此一來，小朋友在聽完故事後，更能深刻的學習到健康知識。

讀書會結束後，朱紹盈趕著去開醫療會議，純瑩還在回答大家的問題，倢如忙裡忙外的協助前置作業和後續整理，留下來的志工媽媽們繼續討論自己所認養的故事……這一幕，在時間不停止的洪流裡轉瞬即過，卻一直映在我腦海裡，這一群人的出現有著共同的信念，都希望爲孩子們創造閱讀的樂趣、想像的空間，所以用單純的愛，然後單純來付出，這一幕，會過去，卻也會刻在時間的流痕裡，那是一條關於愛的足跡。

拉出這條足跡的，正是朱紹盈。

「我常常會問自己，爲什麼要開啓、做這樣事情呢？我想了想，應該是回到最根本，從照顧弱勢罕見疾病的孩子，擴大到全花蓮的孩子，再擴大到每一個願意閱讀的人。我眞的認爲：一生穩定的力量，來自於閱讀。」

雖然她念茲在茲想要推廣，但這是一條愛的道路，需要更多願意付出愛的人同行，朱紹盈細數不完所有人對她的支持和鼓勵，尤其上人說的：「有願就有力。」讓她深刻感受到，想要做的事努力去做，源源不絕的力量就會一直出現。

期待有兒童的地方，就有書香；期待有緣人，一起來同行。

圖書館降落的國度

「推動閱讀這件事是很有意義，上人期許靜思書軒成爲社區大家的書房。況且兒童更需要從小就灌溉，從起步就奠定基礎。」德悅師父說：「尤其閱讀很廣義，不只是讀書，甚至讀人、讀事，這其中有很多的內涵在。」

許許多多的因緣際會，這條推廣兒童閱讀之路，朱紹盈很感恩有德悅師父一路陪伴鼓勵。尤其上人認爲教育是社會的希望，對於教育總有多一些的期許，正好德悅師父在慈濟二十多年來，有機會學習和參與了許多教育團隊，訊息也就比較廣泛，因此引薦了許多資源，建議她拜訪許多地方，宜蘭、玉里、台東……向有志之士學習如何運作，結合資源等等。

德悅師父說：「我們都希望孩子的未來會更好，所謂更好不是指物質，而是心靈更充實，畢竟推動閱讀的這個苗才剛長出來，可不可行？可不可爲？都是問號，那就要去問路。更何況，我們都只是過程中的一個助緣，其實要靠很多人的努力。」

朱紹盈點點頭：「是的，目標能達成，路也有很多條。」「只有深耕其中，才可能長遠的發揮影響，如果時候未到，就要加寬接觸面。新手上路也是想很多，只是不知道能不能成行，像國際機場設計了一個從樹長出的書架，我們就很高興，感覺醫院兒科門診區也可以來試試看，後來……只有地板可以稍微變一下，哈哈。講到甘苦談，其實自己樂在其中是最重要的。」

想到最初推動的情況，他們眞的是樂在其中。尤其是關於圖書館的夢想，希望能成爲將來的據點，從這裡出發的點，也是一個具象，有志一同的人就更能匯集聚合。

說到圖書館，朱紹盈的眼睛立刻晶晶閃亮，很豪氣的說：「最初就是想要在花蓮蓋一個國家級的圖書館，屬於兒童的，多元化的，大到可以容納一整個班級，甚至整個學校的小朋友。」

德悅師父補充：「我們還去搜集全世界圖書館的資料。」

這麼一說，又讓朱紹盈陷入陶醉：「聽說捷克的圖書館是全世界最美麗的，可是也有看到其他國家圖家館號稱自己是最美麗的。哇，那些圖書館設計得眞是叫人歎爲觀止。」

「日本的也設計得很讚，可惜沒辦法親自去看看。」

「有個作者把全日本的圖書館都做成紀錄，編成一本書。」

「淑美老師不是去了日本嗎？我們就把書和相關資料都給她，等於是她代表我們去看看當地的圖書館。」

朱紹盈笑呵呵的附和：「對呀對呀，就讓她代表大家去。」

只要一談及推動閱讀的種種夢想，他們就充滿喜悅，這種喜悅是什麼？

「我覺得是找到共鳴，不認識的人之間也有連結點。」

「共鳴也對，知音也是，音波一定是相同的。做利益蒼生的事，一個人的力量是非常單薄的，少一個人都不行。有共同的願景才會有力量，愛心串連起來，才會樂在其中。」

「是啊，眞的是樂在其中，看到小孩子在讀書，會很感動，多麼珍貴，因爲有這麼多人一起努力啊，例如『一五三門診』的書香環境，只要隨時經過，都會看到可能是小孩自己，或父母陪伴著讀一本書，那就是感動。」

德悅師父回想起到貴州發放時，曾遇到一位名叫春芝的小女孩，她當年才六歲，大愛臺記者問她將來長大要做什麼？她說要打工。因爲生活環境就是如此，在那顆小小的心靈裡，認爲打工是最重要的。經過慈濟人長期的陪伴，而今春芝長大了，懂得從書中去尋寶，再次問她長大要做什麼，她很肯定的說要讀書，才能走出大山。

「期待一戶人家都能有一個書房或閱讀的角落，這是一種和書的聯結。有些人會認爲那是富貴人家才會有的，但是何縕琪老師曾說，小時候家境不是很好，一家人甚至還住過陰暗潮溼的地下室，但無論如何，她父親一定都會準備一張桌子，留一面牆，當作是孩子們的學習及做功課專屬的地方。你看，透過時間和許多故事，逐一的見證此路可通，此路可行啊！」

「家裡有書櫃或書房，創造滿屋書香，孩子才不容易流連在外，或埋首在網路世界，好的書，是可靠的、忠實的、永遠的朋友，讓書進入家庭進入生活，每個家就是一個閱讀站。」

「正是如此，我們還有長遠的路要走。」

聊著聊著，牙醫師李彝邦五歲的兒子經過我們身邊，很有禮貌的舉起小手打招呼，並主動朝著書櫃走過去，挑了五本書，又安靜走回座位，埋首故事書裡，看得津津有味。

德悅師父欣慰的說：「爸爸媽媽都回來靜思精舍參加精進課，他一邊等待，一邊就能自得其樂的沉浸在書的世界裡，不必向外尋求……這就是我們的期待了。」

嘴角揚起微笑的朱紹盈，看著小男孩專注的身影，默默的說：「我們眞誠期待每一顆小小的心靈都愛閱讀，每一個家都是社區的閱讀站，都是樂於分享的圖書館……」

他們的「心願不大」，就只期待書，能進入每個人的生活圈裡。

就像是一朵朵的蒲公英傘，被風吹過，又分成了許許多多帶著種子的小白傘，降落在每一塊土地上，讓閱讀的種子被愛的心風吹拂，在每一個有孩子的地方，發芽、茁壯。

暖香梅雪

窗外的日光映上畫布，灑出一大片童話般的綠色，太魯閣群山在裡面，潺潺的溪水也流過。朱紹盈靜靜的臉龐在這午后與油畫融為一體，恰好一襲衣衫也是湖水綠，是她在畫裡，還是在山裡？

她說自己從小就愛塗塗寫寫，繪畫總讓這顆心在專注裡更為祥和。香蜂葉、迷迭香、薄荷……香草植物數來幾十種，培植花草的園地只為純真的心情；仙人掌植物、花樹蘭庭、蔬菜瓜果……數不清的這許許多多，一雙園藝綠手指，體悟人生路。

「何時，我們會真正的、用心的，看到一朵花？」

朱紹盈說著說著，纖細的手拂過葉片，她想，在忙碌的生活裡，若能停下腳步，會發現自己很渺小，那還爭什麼？看看這些植物如此多元精采，就會明白世界上還有很多很多生物，宇宙不是只有人類存在。

「當我還只是一個醫生時，面對很多情緒的反彈回來，不太會處理，醫生的習慣是我說你聽，難免驕傲也有獨大，因爲醫生負責治療你的病，所以你要聽我的，這種優越感很難抹除。當我學會接受很多的不確定性，接受磨練，學會感恩，才知道這過程就是修行，修自己的本性，若沒有眞正經歷這些，『縮小自己』也只是在喊口號。」她頓了幾秒，才說：「四個字而已，卻要花很長的時間去體會啊！」

這是朱紹盈認爲入世以後才學到的功課：要自己去經驗所有的過程，要能接受每一個不完美。如果一直在同一個位置上，會感到自己很大，這是人性；如果一直往前走，身邊有許多小小的細微的一切，不容易注意到，更容易錯過；如果能停下來，眞正看見一朵花的存在，也能從這小小的乾坤裡學習到謙卑和尊重。

這其中，朱紹盈深深感謝家人對她的善解、包容。

她的先生是眼科主任李原傑，這樣形容自己的妻子：「她很善良單純，很有愛心，淚點又很低，一點事情就可以嘩啦嘩啦掉眼淚，慢慢才學會不受別人影響，幸好現在又有很多花花草草可以自我療癒……她想做很多事，也有很多夢想，有夢很好，我就在一旁欣賞她作夢。」

說完，大家笑成一團，李原傑又補充：「其實我們的工作都很忙，就更珍惜和孩子在一起的時間，但是時間是很公平的，給了外面的人，就無法給家人，她想做的事情那麼多，代表不在家的機會也很多，所以呢，當她的朋友比當家人好。」

李原傑的幽默再度引發笑聲，但他隨即認眞的補充：

「這是在說她不是個自私的人，她喜歡分享，而不是把外面的資源都往家裡抓，其實能和志同道合的朋友一起做有意義的事，這是善的付出，我當然支持。」

朱紹盈曾經拜託他針對黏多醣症孩子的眼睛特別照護，因爲眼科是他的專業。當二〇〇九年全世界開始注意這樣的疾病，並在義大利召開全世界會議討論時，整個亞洲地區的醫師只有李原傑一個人去參加，他爲了這些孩子特別去研究這項專業技術；現在，除了花蓮，他也會到台北慈濟醫院看診，幾乎全國黏多醣症孩子的眼睛有狀況，都會送到他的門診來。這是他被妻子努力的精神所感動，義不容辭的答應下來，這一答應，可是一條漫長的陪伴之路。

李原傑強調：「長遠來看，父母做有意義的事，孩子看在眼裡，人生就多了不同的風景和選擇，想想看，孩子的心靈會有多大的成就或成長，父母身教的影響是非常大的。況且，一個人擁有和需要的其實很有限，使用在有意義的地方最重要。這一路上，我知道她付出很多心血，只要出發點是善的，做的事是對的，那就是好事情，身爲她的家人，我們當然一定支持。」

一雙兒女從小也都是在父母的懷抱裡聽故事長大的，朱紹盈笑嘻嘻的說，她還曾經說晚安故事時，講到一半自己就睡著了。那麼，到底在孩子心中，她是什麼樣子呢？

女兒說：「媽媽很獨特，像一隻蟲，喜歡窩在棉被裡看書，喜歡和植物待在一起。」

兒子說：「媽媽就是媽媽，不像任何一個其他的人物和其他同學的媽媽。」最後又加了句：「但是像林志玲（名模特兒）……的年紀。」

媽媽好笑的問：「只有年紀像嗎？不是美麗、溫柔……聲音好聽？」

兒子酷酷的回答：「隨便你說的我都接受。」

爸爸：「哈哈……哈哈哈……」

女兒嘆口氣問：「爸爸，你到底有沒有認眞照顧哥哥的眼睛啊？」

媽媽：「哈哈……」

最後，兒子認眞的、含蓄的說：「我無法形容我的媽媽，因爲她很特別，種花種得很好，畫畫也很有天分，還很用心想要幫助來看病的這些孩子，又想要推動兒童閱讀，當然我也會希望媽媽多一點時間陪陪我們，但我們都算長大了，也能獨立了，願意支持媽媽去做這些事，因爲這些都是好事情。我很感謝父母給我們好的環境，能沒煩沒惱的長大，安心的求學，希望所有的小孩都能和我們一樣。」

爲了推廣閱讀，朱紹盈幾乎是馬不停蹄的到處去分享親子閱讀的重要性，若沒有家人的支持和包容，又怎能安心在外？對此，她由衷的感恩；尤其家人對這件事的認同，是她感到最甜蜜的愛。將一頭及腰長髮捐出去後，朱紹盈溫柔的身影更添短髮的清麗，她的眼神，在山海之間是那麼安定堅亮。

走到了這裡，朱紹盈想起倏忽而過的歲月，雖是不常面臨如寒冬般的失敗，仍時不時有雪花飄來，讓人感覺寒意而瑟縮，即使挫折就如這雪花重重復重重，幸好許多人的相挺，依然能在相互扶持下學寒梅屹立；更多的是知名的、或不知名的默默支持的人，這些情誼宛如暖香，幽幽綻來勇氣，一次又一次融化挫折的冷意。

想做的事總像小溪流轉綿延不斷，她把希望種在未來的道路上，不害怕！

在未竟的希望，她衷心感激每一份力量的支持。

在東部的土地，她懷抱一個不變的夢想，用深深的腳印推動兒童閱讀；

在罕見疾病的國度，她堅持當兒童和外界溝通的代言人；

因為知道，梅雪飄顫、猶有暖香來。

未來，還有許多要努力，朱紹盈只想說：花蓮，我的靈魂一直都在！

後記

煉出彩虹的夢

朱紹盈

我的記憶裡有一頂很大的白色蚊帳，籠罩在一張香香的大床上，蚊帳內總是透著微弱的橙色燭光。床上有四個小孩，每天晚上都會重複地聽著媽媽講郭靖和黃蓉的故事。他們的腦海裡盡是想像，睡夢裡盡是溫暖。

想起美國詩人史斯克蘭．吉利蘭 Shickland Gillidan（1869-1954）說過他擁有一位讀書給他聽的媽媽（The Reading Mother），比那一箱箱珠寶與一櫃櫃的黃金還珍貴啊！

你的孩子擁有什麼呢？

希望所有的孩子都能擁有一位讀書給他聽的媽媽或爸爸！

證嚴法師說「有願就有力」。

感恩身邊所湧出的菩薩們，我們一起撿了三萬六千五百顆玫瑰石，煉就著彩色的顏料，希望在花蓮的天空中抹出一朵彩虹。

註：三萬六千五百顆玫瑰石，源於《紅樓夢》：當年女媧氏煉石補天之時，於大荒山無稽崖煉成高經十二丈、方經二十四丈頑石三萬六千五百零一塊。我則幻想著在花蓮煉出三萬六千五百顆玫瑰石，不為補天，是為了補出彩虹般的閱讀夢。

閱讀站

花蓮市慈濟醫院小兒科門診
花蓮市慈濟醫院牙科門診
花蓮市慈濟醫院護兒中心（提供新生兒父母書籍及閱讀理念分享）
花蓮縣玉里慈濟醫院二樓聯合檢查室
花蓮縣新城鄉全家便利商店新興店
花蓮縣吉安鄉北安街——小小自由書屋
花蓮縣壽豐鄉衛生所
花蓮縣豐濱鄉衛生所
花蓮縣基督教協同會倫理堂玉里教會

說故事時間

花蓮市立圖書館兒童分館

每月第一個週日早上九點到十一點

花蓮縣秀林鄉水源村巴奇克部落教室

每週六早上九點到十一點；每周日下午三點到五點

花蓮慈濟醫院小兒科門診

每週四下午二點到四點

歡迎加入

如果您的單位也想加入推廣閱讀行列、設立閱讀點；或者想捐贈書籍和大家結緣，歡迎與我們連繫。

連絡方式：readror@gmail.com

感謝名單

靜思精舍釋德悅師父
東華大學林偉信教授與顧瑜君教授及所帶領的學生團隊們
慈濟大學師資培育中心何蘊琪教授及所帶領的學生團隊們
明義國小許慧貞老師
慈濟大學醫學系學生們
新象協會陳麗雲理事長、趙慧萍小姐
碧雲莊社區發展協會洪黎吟小姐
花蓮市立圖書館兒童分館蔡淑香館長及所有同仁
巴奇克聚落書坊志工媽媽
遠見．天下文化教育基金會楊慧婉小姐及林育如小姐
水源社區發展協會
水源國小老師及學生們及家長會
水源鄉立幼兒園
禹利電子分色有限公司

花蓮慈濟醫院圖書室
慈濟基金會慈善志業發展處
關山慈濟醫院婦產科
衛生福利部玉里醫院婦產科
與投入推動閱讀的所有志工們……

感謝贊助書籍及書袋

天下出版社、信誼基金出版社、國語日報、政大書城、
九×九文具店、工研院資訊圖書室、慈濟八德環保教育站、
臺南靜思堂賴美英師姊、與所有志工們……

俠女醫師的閱讀夢

作　　者／吳惠晶
發 行 人／王端正
總 編 輯／王志宏
叢書編輯／黃政榕
責任編輯／曾慶方
美術指導／邱金俊
美術編輯／林家琪
內文插畫／朱紹盈
校　　對／佛教慈濟醫療財團法人人文傳播室
校對志工／何瑞昭、陳若棻
出 版 者／財團法人慈濟傳播人文志業基金會
地　　址／臺北市北投區立德路2號
電　　話／(02)28989991
劃撥帳號／19924552
戶　　名／經典雜誌
製版印刷／禹利電子分色有限公司
經 銷 商／聯合發行股份有限公司
地　　址／新北市新店區寶橋路235巷6弄6號2樓
電　　話／(02)2917-8022
出版日期／2016年3月初版
定　　價／新台幣320元

ISBN 978-986-6292-71-2

Printed in Taiwan

國家圖書館出版品預行編目資料

俠女醫師的閱讀夢 / 吳惠晶著. -- 初版. -- 臺北市：經典雜誌, 慈濟傳播人文志業基金會, 2015.12
256面；15x21公分ISBN 978-986-6292-71-2(平裝)
855　　104027698